hôtels • villas • restaurants • spas • vignobles • galeries • marinas

guide **croatie**chic

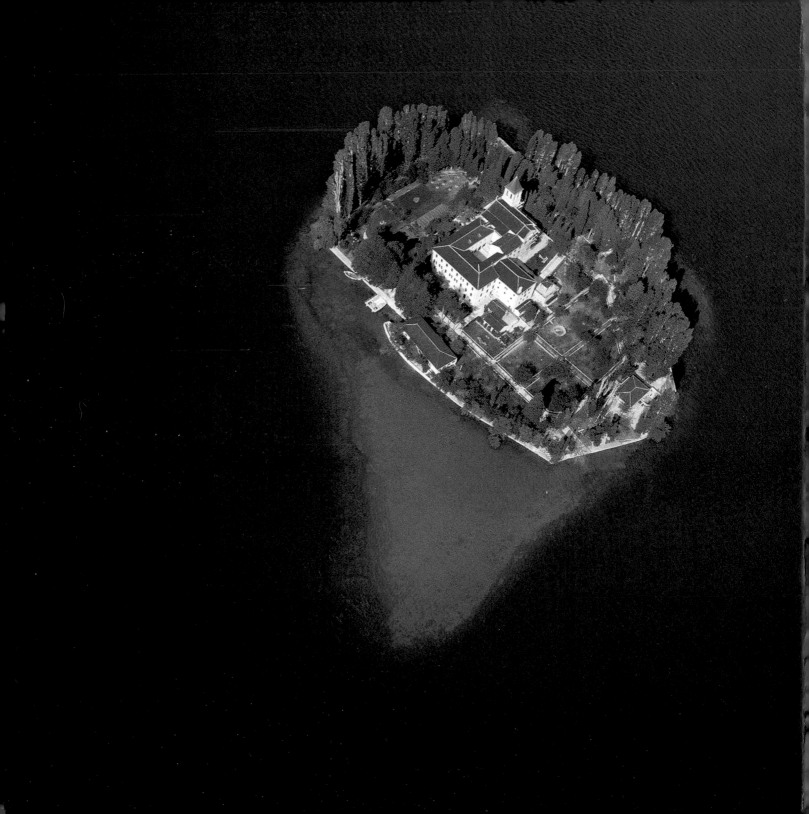

hôtels • villas • restaurants • spas • vignobles • galeries • marinas

guide croatiechic

textes françoise raymond kuijper

présentation des hôtels kerry o'neill • richard nichols

LES ÉDITIONS DU PACIFIQUE

remerciements

Le très attendu *Croatie Chic* est enfin paru, proposant le meilleur de ce pays, notamment en matière d'hôtels, de restaurants et de boutiques. Nous devons une sincère reconnaissance à toutes les personnes qui ont permis la réalisation de cet ouvrage.

Nous remercions en premier lieu, les établissements décrits dans *Croatie Chic* pour leur coopération et leur collaboration. Nous sommes également très redevables à toute l'équipe de l'Office national Croate de Tourisme à Paris, en particulier à sa directrice Marina Tomas-Billet, dont l'énergie nous a sans cesse époustouflés, Christine Delort, Ivana Benkotic, Ingrid Poupry, et Josip Lozic à Londres. Mirjana Resner, de l'Office national Croate de Tourisme à Zagreb, et Tonci Skyrce, directeur de l'Office du tourisme de Dubrovnik, ont été de très efficaces relais sur place et nous ont fourni de précieux contacts. Nous devons des remerciements particuliers à Robertina Majstrovic, de Croatia Airlines, Marc van Bloemen de Karmendu Apartments à Dubrovnik, et toute l'équipe des Sunčani Hvar Hotels – notamment Jean-François Ott et Jacques Bourgeois –, pour leur soutien permanent.

Françoise Kuijper, auteur du *Maroc chic*, et Isabelle du Plessix ont été indispensables à la réalisation de ce projet.

L'éditeur remercie également chaque lecteur qui partagera son enthousiasme pour la magnifique Croatie.

direction éditoriale
melisa teo

éditeur pour le français
emmanuelle laudon

assistante éditoriale
suzanne wong

traduction en français des textes
sur les établissements
chloé leleu

maquette
nelani jinadasa
norreha sayuti

production
sin kam cheong

isbn : 978-2-87868-103-1
numéro d'édition : 197
Dépôt légal : mai 2007

1		3		5		6		11		13		14		19	
	2		4						12						20	
						7										
					9		10		15		16		17		21	
		8											18		

PHOTOS DE COUVERTURE ET PAGES D'INTRODUCTION :

1 et 2 : Valsabbion en Istrie.

3 : façades à Zagreb.

4 : une piscine très tentante.

5 et page 6 : les plages ont des eaux tranparentes grace aux galets.

6 : coupole de l'église Zagorje.

7 : vignoble en Istrie.

8 et page 2 : le monastère de Visovac entouré de cyprès.

9, 19, 20 et 21 : les hôtels Sunčani Hvar, nouveaux et excitants.

10 : les plaisanciers adorent la Croatie.

11 et ci-dessus : détails architecturaux, reflets des influences culturelles.

12 : une recette du Valsabbion.

13 : un dalmatien en Dalmatie.

14 : un petit port sur la côte.

15 : les criques de Hvar.

16 et page de gauche : les rues sont pavées de pierres polies qui ressemblent à du marbre.

17 : la voile, une activité populaire.

18 : la fontaine Onofrio à Dubrovnik.

pages 8 et 9 : Dubrovnik, la perle de l'Adriatique apparaît nimbée de lumière rose au lever du soleil.

sommaire

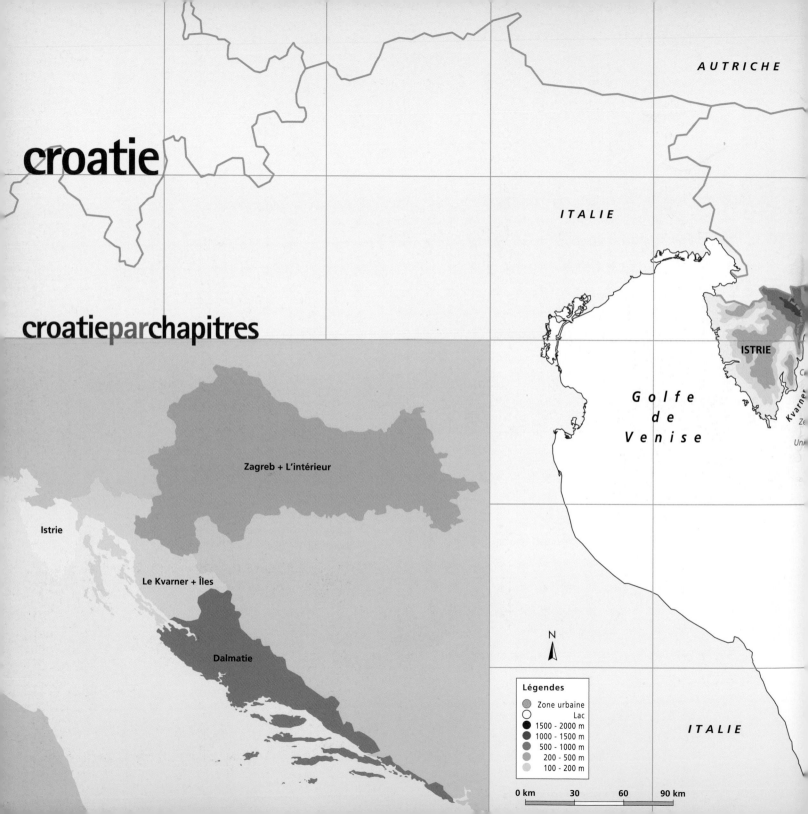

croatie

croatieparchapitres

Zagreb + L'intérieur

Istrie

Le Kvarner + Îles

Dalmatie

AUTRICHE

ITALIE

ISTRIE

Golfe de Venise

ITALIE

N

Légendes
- Zone urbaine
- Lac
- 1500 - 2000 m
- 1000 - 1500 m
- 500 - 1000 m
- 200 - 500 m
- 100 - 200 m

0 km   30   60   90 km

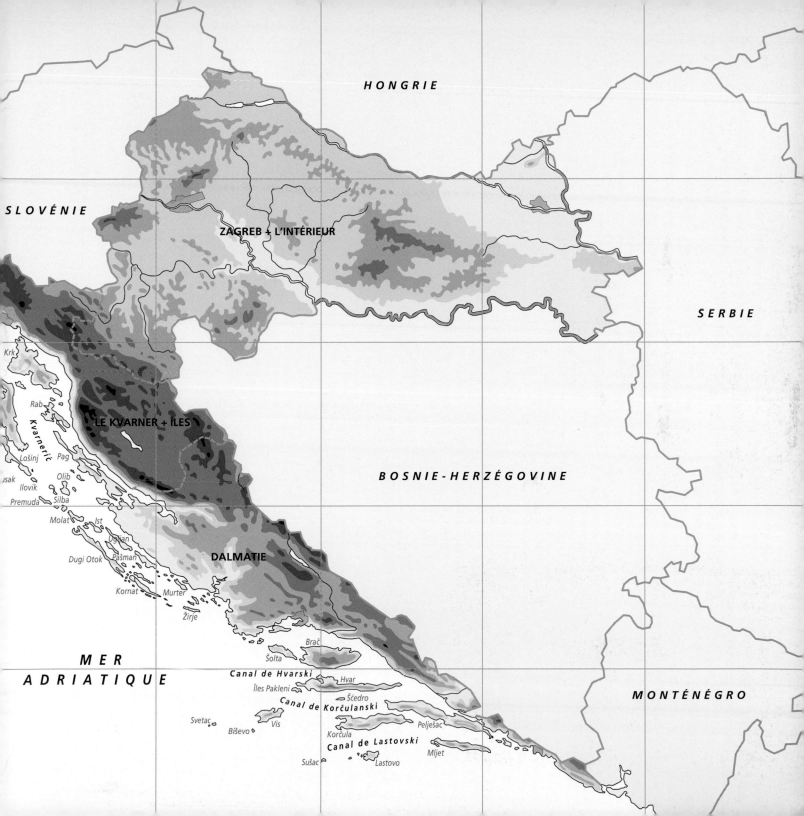

introduction

De La Louve romaine à l'Aigle impérial en passant par le Lion de Venise.
Un étrange bestiaire !

d'où viennent-ils, qui sont-ils ?

Avec son ciel d'azur sur fond de mer turquoise, la Croatie a toujours été
une région privilégiée pour la villégiature. D'ailleurs nos ancêtres du
paléolithique ne s'y étaient pas trompés qui, déjà, y avaient trouvé refuge !
Un mélange de tribus, d'ethnies et de hordes guerrières païennes, que
l'on regroupe sous le terme d'Illyriens (Histres, Dalmates, Liburnes). Ce sont
des Indo européens venus de la lointaine « middle east » qui seraient
les ancêtres des Croates. L'appellation même de Croate, qui apparaîtra
au VIIe siècle, serait d'origine iranienne.

Dès l'âge de bronze, vers le XIIe siècle av. J.-C., des peuplades,
nomadisant dans l'intérieur des terres, migrèrent de l'Est vers l'Ouest jusqu'à
la côte dalmate. Une déferlante qui se serait arrêtée aux bords des vagues de
la Méditerranée. Des barbares, jusque-là habitués aux rudes contrées, goûtent alors
au charme et à la douceur des rives de la Dalmatie. Dans leur migration, portés par
les vents, ils se retrouvèrent, poussés au bord d'un océan infini, vaste, mystérieux
et certainement peuplé de monstres. Un peuple de terriens que cette *terra incognita*
aquatique terrifia. Comme les statues de pierre de Filitosa en Corse, ils s'ancrèrent
en bord de mer, mais lui tournèrent ostensiblement le dos avant de se l'approprier.

les invasions barbares

À cette même période, d'autres peuples venus de la mer sillonnaient déjà la
Méditerranée. Habiles navigateurs, commerçants et belliqueux, ils allaient leur disputer
le littoral. Au VIe siècle av. J.-C., les Illyriens furent maintes fois confrontés aux incursions
des colonies grecques qui convoitaient les meilleures places sur la rive orientale
de l'Adriatique pour installer leurs comptoirs et asseoir leur pouvoir.

*PAGE DE GAUCHE : à l'entrée de la
vieille ville de Dubrovnik, une
halte pleine de fraîcheur, la
fontaine circulaire d'Onofrio du
XVe siècle dont l'eau potable
désaltère les touristes.*

*CI-DESSUS : comme une frise
dentelée, la côte ondulante
de Solta.*

Au Vᵉ siècle av. J.-C., ce fut l'invasion des Celtes qui obligea les Illyriens à se réfugier plus au Sud sur les terres de l'actuelle Albanie. Les Grecs, quant à eux, colonisaient la côte adriatique et fondaient les premières cités d'Issa (Vis), Pharos (Hvar), Tragurion (Trogir), Épidaure (Cavtat)…

Les Romains arrivèrent à leur tour et, après deux siècles de farouches résistances, leur premier roi Genthius une fois vaincu, les tribus illyriennes durent se soumettre à l'Empire de Rome en l'an 168 av. J.-C.

cinq siècles sous la domination de la louve romaine

La côte dalmate conquise, la province d'Illyricum organisée, les légions romaines partirent à la conquête des tribus « barbares » de l'intérieur, qu'ils asservirent en les poursuivant jusqu'à la courbe du Danube. L'Empire romain s'agrandit de la Dalmatie et de la Croatie intérieure, avec pour capitale administrative Salona (Solin). Ces cinq siècles laissèrent des empreintes : des cités, Polensium (Pula), Jadera (Zadar) et surtout Spalato (Split), mais aussi des voies romaines dont certaines affleurent encore dans la campagne croate, des thermes, des temples, des arènes et des villas patriciennes qui témoignent de leurs splendeurs. À la fin du IIIᵉ siècle, lors du déclin de l'Empire romain, la Dalmatie vit naître son premier empereur romain, Dioclétien, originaire de Salona, sacré empereur en 285. À Split, son palais était à l'image de son pouvoir grandiose et puissant.

En l'an 395, le partage se fait entre l'Empire romain d'Occident et Empire romain d'Orient (séparés par la ligne de Théodose, du nom du dernier empereur). Le tracé rectiligne Nord Sud amènera, en 1054, le schisme de la chrétienté entre l'église catholique de Rome à l'Ouest, à laquelle la Croatie reste attachée, et l'église Byzantine de Constantinople à l'Est.

les slaves, les croates

Au début du VIIᵉ siècle, ce sont les Slaves qui, des Carpates, déferlent vers le Sud. Parmi eux, les Croates s'installent dans l'arrière-pays, à l'ouest de la ligne de Théodose.

CI-DESSUS : sur un mur de Split, le portrait de l'empereur Dioclétien ; détail du cloître des Franciscains à Dubrovnik.

PAGE DE DROITE : partout en Croatie, surtout dans la campagne dalmate, subsistent des vestiges romains.

Cinq siècles sous la domination de la louve romaine...

Ils s'organisent en duchés et se convertissent au christianisme. Les bases d'un royaume croate se mettent en place avec le Prince Tomislav (910 à 928), puis avec Petar Kresimir (1058 à 1075) qui consolida le pouvoir et, enfin, Dmitar Zvonimir (1075 à 1089). Consacré roi de Croatie par le pape Grégoire VII, hélas, sans descendance, il dut faire alliance avec le roi de Hongrie. Ce dernier fut reconnu souverain légitime de la Croatie et de la Dalmatie s'appuyant sur un Ban (vice-roi), un Sabor (diète) et une armée. On passe du système tribal à l'organisation féodale.

la dalmatie, une fiancée très convoitée

La Dalmatie, c'est l'accès à la mer pour toute l'Europe centrale ! Les Hongrois la convoitaient et traversèrent le nord du territoire croate pour s'en emparer. Mais les Byzantins avaient également jeté leur dévolu sur la « petite dalmate ». Venue du côté opposé de l'Adriatique, Venise attaqua Biograd et les îles environnantes, puis se jeta sur la citée de Zadar qui, malgré une héroïque résistance, tomba en 1202. Venus des steppes au XIIIe siècle, ce sont les Mongols de l'Asie centrale qui repoussèrent le roi de Hongrie jusqu'à Trogir. La plus grande confusion régnait. À défaut de pouvoir maintenir un véritable pouvoir, l'aristocratie croate passait, en fonction de ses intérêts, d'un camp à l'autre. La « fiancée » fut finalement vendue à Venise en 1409 pour la somme dérisoire de 10 000 ducats afin de renflouer les caisses de l'état ! La Sérénissime régna alors en maître sur la côte, de Zadar à Dubrovnik, jusqu'en 1797, date à laquelle déferlèrent les troupes napoléoniennes.

CETTE PAGE (DE HAUT EN BAS) : la vieille ville de Zadar s'enroule autour de ces murs, comme pour se protéger des envahisseurs venus de la mer. Mais c'était autrefois ; à Split, le lion vénitien est encore le gardien des vestiges du palais du Dioclétien.
PAGE DE DROITE : douceur méditerranéenne et palmiers à Dubrovnik.

la menace arrive d'orient

Au XVe siècle, l'Empire ottoman menace
à nouveau la Croatie ! Après avoir conquis
Constantinople en 1453, les Ottomans mirent
dix ans pour faire tomber la Bosnie et exécuter
en 1463 Stjepan Tomasevic, dernier roi croate
de Bosnie.

Afin de créer une zone tampon pour protéger
ses frontières orientales contre la pression des
Turcs, les Autrichiens entreprennent de construire
des forts le long de la région sud de Zagreb.

En réaction contre le prosélytisme oriental,
les élites humanistes de la côte Adriatique
renforcent leur attachement à la culture et à la
religion occidentale et le pays resta dans le giron
de l'Empire austro-hongrois. On sort de l'époque
médiévale pour accéder à celle de la Renaissance.

huit années d'épopée napoléonienne

La présence française en Dalmatie durera de
1806 à 1814. « Rappelez-vous des Français !
Réveille-toi peuple de Split, prends conscience de
ta force. Au signal donné tout le peuple prendra
les armes. » Les tracts circulent sous le manteau.
L'esprit, le souffle de la Révolution française se
propagent à Split et sur la côte dalmate. Après
la bataille d'Austerlitz, l'Autriche doit céder à

la France, en 1805, les territoires de Venise, l'Istrie, la Dalmatie. L'Adriatique, avec les ports de Trieste et Rijeka, était d'une grande importance stratégique pour Napoléon qui voyait en eux des bases militaires navales idéales pour la pénétration vers les Balkans et, au-delà, vers son désir d'Orient.

Sous l'administration française avec le général Auguste Marmont, duc de Raguse, la Dalmatie s'imprègne de l'esprit européen moderne des encyclopédistes. Le pays développe la langue croate et son sentiment patriotique. On ouvre des écoles, introduit le code civil, construit des voies terrestres, ce qui n'avait jamais été fait depuis la chute de l'Empire romain. Après la retraite de Russie, les Français abandonnent Zadar et se retirent définitivement de la Dalmatie en 1814, « Les Français en Dalmatie », de Franco Baras, édité par l'Alliance française de Split.

un désir identitaire, le mouvement illyrien

La Dalmatie était italophone alors que les régions du Nord parlaient l'allemand ou le hongrois. L'intérieur des terres appartenait aux uns, le littoral aux autres... Lassés de leur soumission à d'autres cultures, les Dalmatiens développèrent un sentiment d'identité dans les années 1830 à 1848 qui s'exprima dans le mouvement « illyriens ». Le Sabor réclama l'enseignement du croate, langue slave, ainsi que la réunification de la Dalmatie au Sud et de la Slavonie au Nord. Ce rêve se solda par une sanglante répression, l'Autriche du chancelier Metternich refusant tout net les aspirations de ses sujets slaves.

l'empire austro-hongrois, l'aigle à deux têtes

La double monarchie austro-hongroise instituée en 1867 ne fit qu'amplifier les scissions. En réaction à ces divisions, deux courants politiques apparaissent à la fin du XIXe siècle : Le mouvement illyrien, le parti national de l'évêque Josip Juraj Strossmayer qui songeait à la création d'un état yougoslave dans l'empire austro-hongrois. D'autre part, le parti du Droit, d'Ante Starčević, qui aspirait à une Croatie indépendante réunissant la Slavonie, la Dalmatie, l'Istrie ainsi que la Slovénie et une partie de la Bosnie et de l'Herzégovine. En 1871, l'insurrection de Rakovica, menée par le patriote Eugen Kvatrenik, marque le premier soulèvement populaire. En 1873, Ivan Mažuranić, ban de Croatie et intellectuel, entreprend de moderniser son pays, fonde l'université et impose l'école laïque obligatoire.

En 1878, le congrès de Berlin entérine le retrait turc des Balkans. Trois nouveaux royaumes indépendants voient le jour : la Roumanie, la Serbie et le Monténégro. En 1904, c'est la création du Parti paysan des frères Radic qui deviendra, en 1925, le HSS, le parti paysan croate. En 1908, c'est l'annexion de la Bosnie par les Austro-Hongrois.

PAGE DE GAUCHE : Split intra muros a été construit avec et sur les ruines du palais de l'empereur Dioclétien. Une cité musée.

CI-DESSUS : sur la place, l'élégance des façades à arcades de style néo-Renaissance donne à Split un air vénitien.

le royaume de yougoslavie

En 1914, l'attentat de Sarajevo, perpétré par le Serbe Gavrilo Princip contre François Ferdinand de Habsbourg, déclenche la Première Guerre mondiale. En 1915, une poignée de politiques slovènes, croates et serbes en exil prépare les fondements d'un état yougoslave commun. Après l'effondrement de l'empire austro-hongrois en 1918, le conseil des Slovènes, des Croates et des Serbes négocie la création de leur royaume avec, pour capitale, Belgrade qui centralisera le pouvoir. L'opposant Stjepan Radić, sans contester le principe de la Yougoslavie, proclame une démocratie fédérale. On est aux portes de la guerre civile. Radić lâchement assassiné, le roi Alexandre Ier peut proclamer en 1929 la dictature royale et le royaume de Yougoslavie.

les oustachis et la seconde guerre mondiale

En 1934, le roi Alexandre de Yougoslavie est à son tour assassiné à Marseille par un des membres de l'ORIM (Organisation révolutionnaire intérieure de Macédoine) avec la complicité du parti oustachis. L'Allemagne envahit la Yougoslavie le 6 avril 1941. Elle place au pouvoir le parti néo-fasciste Oustachi avec le soutien de l'Italie mussolinienne. Entre 1941 et 1945, c'est l'extermination d'un grand nombre de juifs, de tsiganes et d'opposants politiques serbes...

tito et le titisme

Pendant cette douloureuse période, le croate Josip Broz, dit Tito, organise sur tout le territoire yougoslave la résistance antifasciste. En 1945, avec l'aide de l'armée rouge, Tito prend le pouvoir. La Yougoslavie englobe alors six républiques et un parti communiste unique. En 1980, après trente-cinq ans de règne, Tito meurt et les tensions refont surface. Au Kosovo,

à majorité musulmane, on assiste à la montée du nationalisme serbe et à une sanglante répression contre la population. Après avoir créé le parti de droite, le HDZ, Franjo Tudman se voit élu président de la république de Croatie en 1990, pendant que Slobodan Milošević accède au pouvoir à Belgrade.

l'indépendance

Face à la violence des événements au Kosovo, les Slovènes et les Croates proclament, chacun en 1991, leur indépendance, appliquant le droit à l'auto détermination inscrit dans la constitution yougoslave. L'armée yougoslave de Milošević riposte aussitôt. La rupture est consommée entre les Serbes et les Croates entraînant une guerre de conquête territoriale et des destructions massives. La résistance désespérée de la ville de Vukovar en Slavonie reste encore dans toutes les mémoires !

Signés à Paris, les accords de Dayton mettent fin à la guerre en novembre 1995. Après la mort du président Tudman, la Croatie progresse dans l'installation d'un régime démocratique et aspire à adhérer à l'union européenne. En janvier 2000, une coalition centre gauche se forme autour du Premier ministre social-démocrate Ivica Račan. Le mois suivant Stjepan Mesić est élu président de la République.

En novembre 2003, la victoire des conservateurs et la nomination d'Ivo Sanader au poste de chef du gouvernement suivie de la réélection, en 2005, du président Stipe Mesić, pour cinq ans, marquent la seconde alternance.

un fer à cheval, une victoire

En regardant la carte de la Croatie actuelle, on constate qu'elle se situe à la croisée des chemins, au cœur même de l'Europe. Zagreb, la capitale, est proche de Vienne,

PAGE DE GAUCHE (DE HAUT EN BAS) : à Zagreb, la statue du ban Josip trône sur la place du même nom ; in memoriam, un mur de brique dressé en hommage aux victimes de la guerre de l'ex-Yougoslavie. Chacune des briques porte le nom d'une victime.

CI-DESSUS : vue aérienne du pavillon Umjetnicki qui abrite des expositions de peinture avec son remarquable jardin « à la française ».

CI-DESSUS ET CI-DESSOUS : image de carte postale, la pointe de Bol ; Modra Spilja, Grotte bleue, sur l'île de Bisevo.

PAGE DE DROITE (DE HAUT EN BAS) : la sardine a été remise à l'honneur sur la côte de l'Istrie ; l'Istrie intérieure pour un tourisme vert.

de Berlin, de Venise, de Ljubljana, de Belgrade, et à une heure de vol de Paris. Ses frontières terrestres s'étendent sur 2028 km : un brin d'Italie, une longue bordure au Nord avec la Slovénie sur 501 km et la Hongrie sur 329 km, puis à l'Est la Serbie, au Sud la Bosnie-Herzégovine et enfin les 25 km de frontière avec le Monténégro. Cette situation stratégique qui, aujourd'hui, est un formidable atout fut, dans un passé encore récent, son talon d'Achille. On compare souvent sa forme à celle d'un fer à cheval. Mais avec un brin d'imagination, on peut aussi lui trouver une ressemblance avec la Victoire ailée de Samothrace dont le profil ferait face à l'Ouest alors qu'elle tourne le dos à l'Est ! Cette comparaison peut paraître fantaisiste. Elle rend compte cependant du destin croate, de sa dualité et de son déchirement entre Orient et Occident.

un petit pays pour une longue côte

1778 km de côtes, et si l'on y ajoute celles des 1185 îles, îlots et rochers, on obtient 5 835 km pour une superficie totale de 56 538 km carrés. Joyaux du patrimoine naturel croate, 450 zones sont vouées à la préservation, ce qui représente 10% du territoire national. Si on leur ajoute les surfaces maritimes également préservées, la superficie totalise 6 129 Km carré sous haute surveillance écologique.

un fabuleux patrimoine, un don de la nature

On compte huit parcs nationaux, dont ceux de Plitvice, Krka, Kornati, Brijuni, Velebit du Nord, dix parcs naturels et deux réserves naturelles très protégés : les rochers Bijela et Samarska sur le massif de Bjelolasica, ainsi que Rosanski et Hadjduk Kukovi sur le mont Velebit. 430 territoires sont soumis à une stricte réglementation pour la protection de la flore, de la faune. On recense 777 espèces animales dont le loup, l'ours brun et le lynx qui trouvent refuge dans les forêts denses de sapins et un milieu halieutique riche en poissons. 44 variétés de plantes dont la *Pinguicula Alpina* du Gorski Kotar, l'iris, la centaurée qui sont les essences rares et emblématiques de la Croatie.

plaines, montagnes, littoral

Au Nord s'étend la vaste plaine pannonienne. Baignée par la Save, la Drave et le Danube, elle a pour point culminant, en Slavonie, les monts Papuk et le massif de la Medvednica qui domine Zagreb de ses 1 030 m. Très influencée par la culture austro-hongroise, cette région est essentiellement agricole si l'on excepte le bassin industriel situé autour de la Capitale.

la façade méditerranéenne

La côte adriatique est bordée par l'Istrie, le golf du Kvarner et la Dalmatie. Son climat est méditerranéen et elle possède un arrière-pays au relief montagneux et d'innombrables îles qui s'égrènent le long de la côte. La longue présence de Venise a influencé le mode de vie de ses habitants : pêche, culture de la vigne et des oliviers. Cinq de ses sites sont classés au patrimoine mondial de L'Unesco : Porec, Sibenik, Trogir, Split et Dubrovnik.

la charnière montagneuse

Trait d'union entre l'espace méditerranéen et la plaine pannonienne, les hauts plateaux de la Lika et les Alpes dinariques culminent à 1 831 m. Cette barre montagneuse délimite au Nord, le massif karstique et au Sud, tous les fleuves qui se déversent dans l'Adriatique. Ce territoire est peu habité, mais les terres agricoles y sont soigneusement exploitées.

la croatie et l'europe

« Depuis le VIIe siècle, la Croatie fait partie de l'Europe occidentale et non des Balkans », affirme Gregory Peroche, écrivain et historien croate. La Croatie a déposé sa première candidature à l'Union européenne le 20 février 2003. L'année suivante le Parlement européen la validait officiellement et La Croatie espère entrer dans l'UE, en tant que membre à part entière, en 2009. Selon les sondages, environ 50 % des Croates seraient favorables à l'entrée de leur pays dans la Communauté européenne.

la méditerranée en partage, les cultures en héritage

« L'espace croate est le carrefour de l'Est et de l'Ouest, frontière de l'empire d'Orient et de l'Empire d'Occident, ligne de partage entre la latinité et Byzance, lieu de rencontre de l'Europe centrale et méridionale, scène du schisme chrétien, théâtre des conflits entre chrétienté et islam », écrit Predrag Matvejevitch dans son *Bréviaire méditerranéen*. Terrains de jeux des empires romain et byzantin, de la République de Venise et de la couronne austro-hongroise, les frontières furent maintes fois piétinées et le pays envahi. Ces régions annexées, partagées au profit de royaumes étrangers et réduites à quelques citées spoliées, déchirées, puis perdues et reconquises.

Barbares, Grecs, Romains, Turcs, Vénitiens, Autrichiens, Byzantins, hordes mongoles et armées napoléoniennes, tous foulèrent son sol, laissant de profondes empreintes, destructions, vestiges. Ces peuples imposèrent leurs cultures et leurs croyances, leurs

langues et coutumes dans le meilleur des cas, le plus souvent déplacèrent, en les privant
de leurs droits, ou exterminèrent des populations entières. De ce brassage, la Croatie a
gardé les stigmates et la mémoire. Cette longue histoire au pluriel, ce multiculturalisme lui
ont forgé son identité et constituent son patrimoine. Elle écrit désormais sa propre histoire.

« à ses grands hommes, la croatie reconnaissante »

L'Illyrie, dès le IIIe siècle, a fourni au monde une pléiade de grands hommes : des
empereurs romains, Claude le gothique et son fils Aurélien, Probus, Dioclétien, né en
Dalmatie, et Constantin le Grand qui fut le premier à se convertir au christianisme ; saint
Gérôme, né en 347 et originaire de Striton en Dalmatie, qui fut l'un des quatre pères
de l'église ; Jean IV le Dalmate, qui s'assit sur le trône de Saint-Pierre en l'an 640.
On dit que le navigateur Marco Polo serait né à Korcula en 1254. Sa « maison
natale » est située à l'ombre de la cathédrale.

   Depuis, la liste ne diminue pas. La muse de Picasso, Dora Maar,
de son vrai nom Théodora Markovic, était la fille d'un architecte
de Zagreb. Celle d'Ernest Hemingway s'appelait Adriana Ivancic,
une belle Croate qui lui inspira le personnage de la Contessa Renata
dans *Au-delà du fleuve et sous les arbres*. Emmanuelle Béart et
Josiane Balasko possèdent en commun des origines croates. John
Malkovic, Goran Visnjic, vedette de la série *Urgences*, Branco Lustig,
producteur de la *Liste de Schindler* : des enfants de Croatie.

   Parmi les hommes de sciences la liste est infinie. On doit
à Hermann le Dalmate, philosophe du XIIe siècle, des traductions
en croate d'ouvrages de Ptolémée et d'Euclide. Son interprétation
de la constellation de la vierge, reprise dans le *Roman de la Rose*,
est à l'origine de la fête chrétienne de l'Assomption. L'invention
du parachute a été attribuée à Faust Vrančić, dit Veranzio, originaire
de Sibenik. Au XVIIIe siècle, Rudjer Bošković, natif de Dubrovnik, est

le précurseur de l'atomisme moderne. À Rijeka, Ivan Lupis a mis au point en 1866 la première torpille. Quant à l'hélice à moteur, son inventeur est Joseph Ressel de Motovun. Le stylo mécanique à réservoir intégré est l'œuvre de Slavoljub Penkala. Le ballon dirigeable est sorti des cartons du zagrebois David Schwartz ; ses plans furent vendus au comte von Zeppelin. La technique des empreintes digitales vient du criminologue Ivan Vučetić. Deux prix Nobel de chimie ont été attribués à Lavoslav Ružička et Vladimir Prelog. Le père du radar est Nikola Tesla, un croate naturalisé américain, également véritable inventeur de la radio. Mirko Grmek développe le concept de la pathocénose. Miroslav Radman a reçu le Grand Prix de l'Inserm 2003 pour ses travaux sur la génétique et la biologie moderne.

contes, légendes et croyances

Au VIe et VIIe siècles, les Croates venus des terres lointaines apportèrent leurs dieux, croyances et coutumes slaves dont certaines subsistent dans la tradition méditerranéenne.

La divinité slave de l'hospitalité, Radigost, avait coutume de recevoir les étrangers avec des figues et de l'eau-de-vie, offrandes qui rappellent le traditionnel pain et sel des peuples

du Sud. Le nom du petit port de pêche de Volosko viendrait du dieu Veles ou Volos. Le sommet du mont Perun porte le nom d'une des plus puissantes divinités slaves, Perun, l'alter ego du Zeus grec ou du Jupiter romain. D'autres lieux sacrés, comme celui de la déesse Ikaqui, éponyme du village près d'Optija, ont été réinvestis pour les églises de la chrétienté. De nombreux sites agraires, en particulier sur l'île de Crès qui vénère saint Isidore, furent tout naturellement dédiés à Sylvain, ancienne divinité romaine protectrice des bois et des champs.

La tradition orale met en scène fées et démons. Dans les profondeurs boisées du mont Ucka, on dit que le petit lutin Malik ferait mille facéties pour se moquer des promeneurs. Une résurgence des pratiques empreintes de superstitions païennes et druidiques perdure sous forme de carnavals. Celui de la ville de Rijeka, dans le Kvarner, est le plus fameux et donne lieu à de folles réjouissances.

Mais, illyriennes, romaines ou slaves, les idoles durent céder leur place aux saints de l'église catholique romaine. Saint Georges, patron emblématique du printemps est célébré le 23 avril depuis le XIIe siècle. Chaque paroisse consacre son protecteur, son intercesseur, ses ex-voto. Les portes des cités fortifiées ont pour la plupart des frontons ornés de la représentation de son saint Patron : saint Jacques à Opatija ou le très beau saint Christophe en l'église Sainte-Marie de l'île de Rab. Dans un pays partagé, la place de la religion catholique romaine a une valeur identitaire, nécessaire à renforcer sa cohésion.

CI-DESSUS ET CI-DESSOUS : détail de sculptures en volutes de pierre dans la cathédrale Saint-Jacques de Sibenik, chef-d'œuvre de l'art croate religieux ;

les deux éléments de base de l'architecture urbaine croate : la pierre blonde de Brac et les toits de tuiles rouges, forment une belle harmonie.

PAGE DE DROITE : la voûte baroque sur fond de ciel azur et or de l'église de Zagorje.

la nouvelle vie de la croatie

La Croatie a acquis son indépendance en 1991, quinze ans seulement, ou déjà ! C'est un jeune pays avec une population de plus en plus jeune (17 % a moins de 15 ans) pour un total d'habitants estimé à environ cinq millions et une croissance du PIB qui atteint une moyenne de 6 %. Le pays s'est engagé dans un vaste programme de reconstruction. En quatre ans, la moitié du parc immobilier détruit a été rebâti. La jeune démocratie mise sur la croissance économique, en particulier dans le secteur de la métallurgie, des chantiers navals, de l'alimentaire. La pêche et le traitement des poissons, une tradition millénaire, dont le rendement est évalué aujourd'hui à 24 000 tonnes par an.

La Croatie possède plus de 3 millions de terres agricoles dont près de 2 millions sont consacrés à la culture, le reste étant composé de pâturages, landes, roseaux, ou réservé à des espaces pour la pisciculture. Les vignobles, eux, couvrent 58 000 hectares exploités avec des techniques de vinification qui s'améliorent d'année en année.

le tourisme, une valeur authentique

Plus de 8 millions de touristes étrangers ont visité le pays en 2003 avec une augmentation de 6% constatée en 2005. Ce secteur en plein développement est un atout majeur pour le pays.

Le lent passage vers une économie libérale (37 sociétés hôtelières appartenaient encore à l'État en 2004) encourage de nombreux partenaires croates et étrangers à investir dans l'hôtellerie. Les énormes infrastructures hôtelières de l'époque de Tito n'étant plus adaptées aux goûts d'une clientèle étrangère et élitiste, ils investissent et innovent dans le « haut de gamme ».

Auberges et chambres à la ferme, l'agro tourisme se développe dans le milieu rural. Pendant que la traditionnelle pancarte « chambre à louer » chez l'habitant continue à fleurir dans les villages, les agences proposent des villas à louer avec piscine et « vue mer ». Après le camping et le voyage en groupe et en autocar, qui a toujours ses adeptes, la tendance est au luxe, à la clientèle individuelle.

La place de la religion catholique romaine a une valeur identitaire...

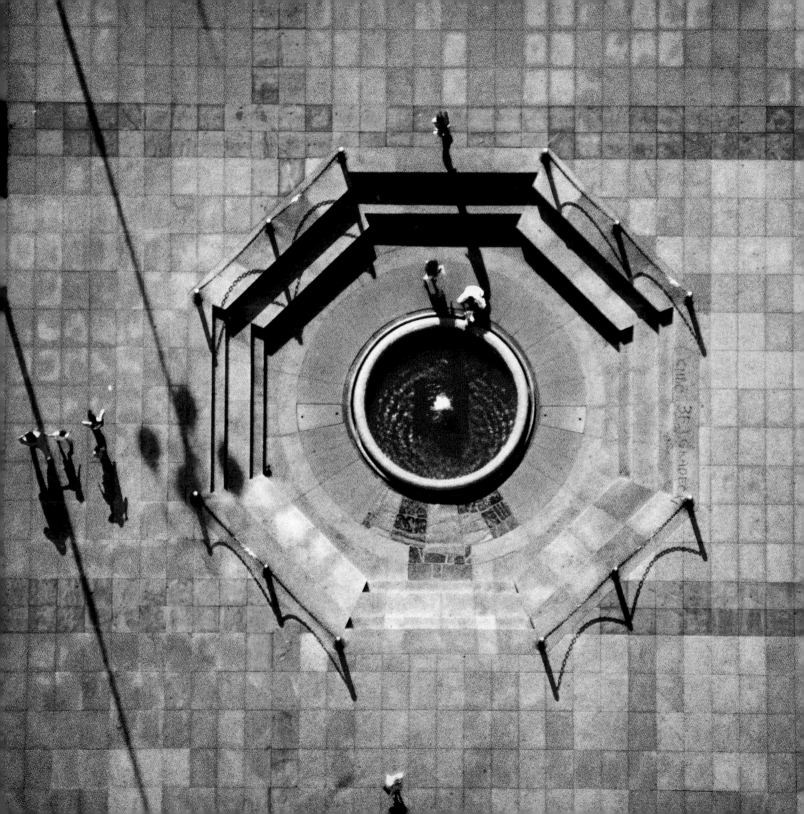

zagreb+l'intérieur

Autriche

Hongrie

Serbie

Čakovec
Varaždin
Varaždin
Ivanščica
1061
643
Koprivnica
Krapina
Krapina-Zagorje
Sljeme
1035
Virovitica
Osijek-Baranja
Bjelovar
Bjevolar-Bilogora
Slatina
Koprivnica Kritževci
ZAGREB
Trdinov vrh
1181
Velika Gorica
Zagreb
Čazma
Humka
489
Daruvar
Papuk
853
Slavonia
Našice
Osijek
Kaptol
Požega-Slavonia
985
Požega
Vukovar
Karlovac
Duga Resa
Sisak
Petrinja
Đakovo
Vinkovci
Vukovar-Syrmia
Glina
Sisak-Moslavina
Nova Gradiška
Ogulin
Karlovac
Kostajnica
615
Hrvatska Kostajnica
Brod-Posavina
Slavonski Brod
Županja
Slunj
Dvor
Plaški
Gunja

> The Regent Esplanade
> Euromarine

Le Kvarner + Îles

Bosnie-Herzégovine

Dalmatie

N

0 km   20   40   60 km

zagreb, en capitale

En arrivant à Zagreb, il faut, comme l'a fait Agatha Christie, s'installer à « l'Esplanade ».
En descendant de l'Orient Express, le palace est en face. On imagine qu'elle fit
le court trajet à pied afin de prendre le temps d'admirer la place Tomislav.
Les bâtiments jaune d'œuf – la couleur viennoise à la mode – qui l'entourent sont
de purs exemples de l'architecture austro-hongroise. L'Esplanade, rebaptisée le Régent,
a gardé toute son élégance grâce à une remarquable restauration.

Ville basse et ville haute, pour passer de l'une à l'autre, on emprunte toujours
le funiculaire mis en service en 1889. Bana Josipa Jelacica, la place principale,
est la ligne de partage entre l'ancienne et la nouvelle ville. Laurence Durrel la décrit
ainsi : « de jolis immeubles fin de siècle, d'un brun clair, des stands de fleuristes
et des paysannes offrant leurs broderies aux motifs folkloriques ».

Le Kaptol, le quartier du Chapitre, réservé au corps ecclésiastique, vit à l'ombre
de sa cathédrale. Il ne reste plus rien de la cathédrale romane du XIIe siècle
qui fut transformée en écuries par les Mongols et dont les flèches gothiques furent
déboulonnées par les Turcs et un séisme. Maintes fois restaurée et remaniée,
les derniers travaux furent confiés, après le tremblement de terre de 1880, au grand
architecte Herman Bollé qui lui rendit sa majesté. L'intérieur est un sanctuaire où gisent
les pierres tombales de Croates célèbres. Bollé a laissé à Zagreb un autre témoignage
de son talent : le cimetière Mirogoj, monumental et longé, de part et d'autre, par
d'immenses galeries couvertes. Dans les allées ombragées, reposent les défenseurs
de l'identité croate, Vatroslav Lisinski, Ljudevit Gaj, Stjepan Radič...

La rue Tkalčićeva était, jusqu'au XIXe siècle, un ruisseau qu'il fallait enjamber pour
aller de Kaptol à Gradec. Il règne dans cette longue rue une atmosphère médiéviste
et bucolique. Les maisons basses affichent des couleurs pastel, des balcons de bois
ajourés, et des herbes folles recouvrent le pavé. Les cafés et les boutiques, qui ont investi
les rez-de-chaussée, n'ont pas encore altéré sa grâce villageoise. Mais au bout, passés
quelques immeubles à la beauté étiolée, un centre commercial met fin à la rêverie.

PAGE 30 : Zagreb, la place du ban Josip Jelačić.

PAGE DE GAUCHE : la place principale de Zagreb avec la statue du ban Josipa, remise en place en 1991.

CETTE PAGE : suite de façades fin de siècle ; les tramways sont très utilisés ici.

On retourne vite vers les ruelles qui grimpent à Gradec. La ville haute, celle des artisans et de la bourgeoisie, regorge de palais, de couvents, d'églises et de musées.

un paysage aux points de hongrie

La région de Samobor à l'Ouest et celle de Varaždin au Nord dévoilent, jusqu'à la frontière slovène, des paysages agrestes. Autour de Zagreb apparaissent les collines surmontées de châteaux en ruine, de vestiges de forteresses, tourelles mâchicoulis et ponts-levis. Ces édifices étaient, dès le XIIe siècle, les remparts de l'Europe occidentale contre les invasions Tatares et Turcs. Celui de Dvor Trakošćan est digne d'un décor de conte de fées et celui de Veliki Tabor est un bel exemple d'architecture militaire.

Le poids du féodalisme, l'emprise germanique de Marie-Thérèse d'Autriche, l'influence de la cour des Habsbourg sont encore partout présents dans la région. L'art baroque et le style rococo s'épanouissent dans la plaine de la Drave et de la Save. Aux confins de la Slovénie et de la Hongrie, les palais, églises et édifices de la ville de Varaždin rivalisent de couleurs, d'ornements et de fantaisies. Les pâtisseries et les viennoiseries triomphent dans les salons de thé et le célèbre millefeuille de la ville de Samobor provoque le déplacement des Zagrébois le dimanche.

La campagne est paisible et ondulante. Les champs cultivés succèdent aux pâtures et aux vignobles, les prairies spongieuses bordées de peupliers sont le refuge des échassiers. Suivant les saisons, la terre se recouvre d'un canevas de brun, de blond, de vert et de roux. On dirait une tapisserie aux points de Hongrie. Des hameaux abritent les traditionnelles fermes en bois accrochant au fait des toits des guirlandes d'épis de maïs.

On retrouve dans les compositions naïves « des peintres paysans » une similitude avec la simplicité de cette campagne et de sa population. Le cœur de l'art naïf croate

Autour de Zagreb, apparaissent les collines surmontées de châteaux...

se trouve au village d'Hlebine près de Varaždin. Dans la rue principale, les ateliers et les galeries exposent les œuvres de nombreux artistes locaux, en particulier celles d'Ivan Generalič, le plus connu. D'autres villages sur le circuit des peintres, Molve, Koprivnica ou Durdevac, se consacrent à la notoriété de l'art naïf.

la slavonie, une terra incognita

Quadrillée par la Drave, la Save et le Danube, la Slavonie est une vaste plaine, un plat pays occupé aux origines par la mer Pannonienne. Elle s'est retirée, laissant une terre fertile, des marécages, un lacis de ruisseaux et des forêts druidiques. Dès 6000 ans av. J.-C., située au carrefour des grandes voies de passage des

hordes, cette terre nourricière attira les tribus nomades qui se sédentarisèrent. On retrouve des traces de la culture néolithique à Vinkovci et dans plusieurs localités environnantes ainsi que des céramiques de l'homme préhistorique à Vucedol. Le petit espace du mont Papuk, composé de roches éruptives cristallisées, résume toute l'histoire de la géologie terrestre.

Le patrimoine culturel et la nature d'une richesse inouïe de cette *terra* encore *incognita* restent toujours à découvrir. En Slavonie, la relation de l'eau et de la terre avec le conscient collectif est solidement ancrée. La terre, celle des pâturages, des champs de blé et de la vigne, a inculqué aux Slavons, depuis des générations, le goût de l'authentique et le respect des traditions. Le Traminac, un vin produit autour

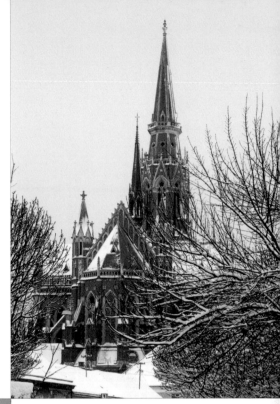

PAGE DE GAUCHE : *la Slavonie est le grenier à blé de la Croatie.*
CI-DESSUS : *la haute flèche en brique de l'église Saint-Pierre d'Osijek.*
CI-CONTRE : *au pays de l'arbre et de l'eau, le cheval lipizan est roi.*

Le patrimoine culturel et la nature d'une richesse inouïe de cette terra encore incognita restent à découvrir.

de la région d'Ilok, est de réputation internationale. Les sucreries et les chocolats de Pozega, les vins mousseux de Slatina font références.

Le Bregovski, une fine pâte feuilletée agrémentée de pommes de noix et de graine de pavots, la carpe à la crème, le Perkelt, pot-au-feu de poissons et paprika, les cuisses de grenouilles : la cuisine locale est particulièrement savoureuse et généreuse.

La terre des princes et des seigneurs était réservée à la chasse. Le gibier, cerfs et sangliers abondent dans la région de Tikves où Eugène de Savoie, Friedrich de Habsbourg et Guillaume II d'Autriche organisaient de royales parties de chasse historiques.

Véritables biotopes, les étendues marécageuses servent d'escales aux oiseaux migrateurs, cigognes noires et oies sauvages, et de zone de frai aux brochets, à la carpe et à la brème. Dans les rivières, pêche, baignade et canotage font partie du quotidien. Les villes d'art d'Osijek et de Vukovar

ont été bâties au bord du Danube et de la Drave et la forteresse de Brod sur la Save. Les villes thermales de Pozega et Pakra se sont développées au pied des sources.

En 1991, en plein conflit, la belle ville de Vukovar, placée sur la ligne de frontière avec la Serbie, se trouvait en première ligne. Elle fut livrée aux chars et aux tirs de l'armée yougoslave. Tous les témoignages d'un passé culturel, palais baroques et églises raffinées, ne furent plus qu'un tas de ruines et la population

PAGE DE GAUCHE : à Dakovo, l'imposante cathédrale Saint-Pierre-Saint-Paul, de style néo-roman, domine la plaine avec ses champs de tournesols et au-delà les vignobles

CETTE PAGE : au confluent de la Drave, la ville d'Osijek se noie dans les flamboyances d'un coucher de soleil ; les étangs sont un refuge pour le cygne noir.

fut gravement touchée. Le pont, théâtre de sanglants affrontements, reste encore dans les esprits. Exsangue, Vukovar se rendit en novembre, les défenseurs furent tués et les blessés massacrés par les milices serbes. Un mémorial au milieu des champs a été érigé en leurs mémoires. Vukovar panse ses plaies et se reconstruit doucement sur un agrégat de désolation.

plitvice, une ballade en lacs majeurs

Le Parc national des lacs de Plitvice, inscrit au patrimoine de l'Unesco, est l'attraction favorite des Croates et des touristes. Au cœur d'un domaine forestier, habité par les loups et les chats sauvages, seize lacs se déversent en cascade les uns dans les autres. Les lacs supérieurs culminent à 637 mètres, des pyramides de cristal qui retombent en bouillon. Les eaux des lacs inférieurs s'apaisent 134 mètres plus bas et forment des chapelets de mares. Elles s'infiltrent entre des tapis de mousses, de nénuphars, d'algues et de croûtes calcaires. Dans la transparence des eaux cristallines, dans le reflet des arbres, on discerne d'énormes truites, des sédiments de travertin et tout un monde subaquatique.

Sur les berges, en compagnie des libellules, on longe les canyons et par des passerelles en bois, on franchit des tourbillons vaporeux qui vous enveloppent d'une bruine fraîche, on frôle les chutes pour se retrouver sur un chemin de terre en surplomb d'une surface bleu turquoise redevenue lisse comme un miroir. Quatre heures de parcours enchanteur.

CETTE PAGE (DE HAUT EN BAS) : les stigmates encore visibles de la ville martyre de Vukovar au bord du Danube ; les lacs de Plitvice, une réserve naturelle pour les truites.
PAGE DE DROITE : le parcours boisé des lacs de Plitvice.
PAGES SUIVANTES : dans un écrin de vert, un des lacs supérieurs de Plitvice se déverse en cascade en contrebas. Une merveille de la nature.

Au cœur d'un domaine forestier, habité par les loups et les chats sauvages, seize lacs se déversent en cascade...

Le Regent Esplanade

Toute grande ville se doit d'avoir son grand hôtel, un monument qui incarne son histoire et son caractère. À Singapour, c'est le Raffles ; à Hong Kong, le Peninsula ; à New York, le Plaza ; à Paris, le Ritz…

Et à Zagreb, capitale et plus grande ville de la Croatie, c'est le Regent Esplanade qui détient, sans aucun doute, le titre.

Édifié en 1925, le Regent Esplanade est l'une des constructions les plus élégantes de la ville. Carrefour de la vie sociale de Zagreb depuis plus de huit décennies, il compte des présidents, des hommes politiques, des vedettes de cinéma et des musiciens célèbres parmi ses clients honorifiques. Récemment rénové dans son intégralité, l'établissement a ajouté une touche contemporaine à sa splendeur d'antan, renouvelant ainsi les meilleurs critères d'hospitalité, d'élégance et de luxe qui feront sa réputation pendant encore très longtemps. Le coup de neuf est notamment palpable dans les 209 chambres et suites de l'hôtel, sanctuaires fastueux qui invitent à la plus grande détente. Les salles de bains constituent pareillement un havre de chaleur et de sensualité, tandis que la technologie dernier cri, les accessoires de toilette et le linge fin ne cèdent en rien sur le raffinement.

Même si le Regent occupe le cœur de cette fascinante ville historique, nul besoin d'aller plus loin que ses tables pour s'offrir un dîner de fin gourmet. Au Zinfandel's Restaurant, salle dînatoire à l'ancienne étonnamment gracieuse et récemment restaurée avec le plus grand goût, les mets s'inspirent de la gastronomie locale et se dégustent avec une sélection des meilleurs vins croates et étrangers. Le bar-lounge Esplanade 1925 offre un cadre intime pour les conversations à bâtons rompus, et sert des rafraîchissements et une nourriture légère

pendant la journée. Le soir, il se transforme en bar à cocktails élégant, où il fait bon se relaxer après dîner. Par ailleurs, Le Bistro Art déco, qui cultive la joliesse d'une salle parisienne des années folles, sert les meilleurs strukli (sorte de feuilleté au fromage frais) de la ville, et propose, en plus, une carte variée de plats régionaux de saison.

L'hôtel possède un excellent centre de fitness, un spa aux soins exotiques très tentants, et un casino doublé d'une salle de danse d'une capacité de 250 personnes. En effet, la taille de l'établissement, la diversité de ses salles de réception et son emplacement central dans la capitale, sans parler de son personnel hautement qualifié, en font un lieu idéal pour les rencontres professionnelles ou festives.

Grâce à sa polyvalence et à son professionnalisme rigoureux, le Regent Esplanade est la meilleure adresse de Zagreb, que ce soit pour une échappée romantique ou pour un séminaire de travail.

EN BREF		
CHAMBRES	195 chambres • 13 suites • 1 suite présidentielle	
RESTAURATION	Zinfandel's Restaurant : cuisine nouvelle • Le Bistro : régionale	
BOISSON	Esplanade 1925	
SERVICES	spa • centre de fitness • casino • salle de danse	
AFFAIRES	centre d'affaires • salles de conférence	
ENVIRONS	théâtre national • jardins botaniques • musée archéologique	
CONTACT	Mihaniceva 1, 1000 Zagreb • téléphone : +385 1 456 6666 • fax : +385 1 456 6020 • email : info.zagreb@rezidorregent.com • site internet : www.regenthotels.com	

PHOTOGRAPHIES REPRODUITES AVEC L'AIMABLE AUTORISATION DU REGENT ESPLANADE.

Euromarine

Avec ses eaux azurées incrustées tels des joyaux dans une terre découpée en milliers d'îles, l'Adriatique est un paradis nautique. Considérée comme un don du ciel par les navigateurs tentés par le défi de la mer, cette côte splendide se découvre sous son meilleur jour depuis la mer.

Grâce à l'agence de location de bateau Euromarine, leader du genre qui propose une grande variété d'embarcations, cette découverte devient simple comme bonjour.

Avec 20 ans de métier à son actif, Euromarine sait mieux que personne que la mer offre la plus belle façon d'arriver à destination, que ce soit à la voile ou en moteur. L'agence propose des itinéraires précis et des croisières taillées sur mesure, au départ de l'un des quatre ports principaux de Croatie. Des boucles sont ainsi organisées depuis Dubrovnik, Split, Biograd ou Pula, chaque marina se trouvant à courte distance de l'aéroport régional.

En outre, chacune de ces villes dynamiques offre un excellent réseau de transports vers les autres sites intéressants du pays. La location « aller simple » étant de plus en plus prisée, il devient très aisé de faire une croisière sans se préoccuper du retour — enfin l'alternative haut de gamme à la location de voiture !

Pour une traversée où la détente est le mot d'ordre, un skipper expérimenté prendra

DE GAUCHE À DROITE : les quelque 100 navires d'Euromarine conviendront à tous les goûts ; un yacht Euromarine sur les eaux de l'Adriatique ; les marins expérimentés peuvent composer leur propre équipage.

PAGE DE DROITE : les navires offrent tout le confort moderne dans un cadre haut de gamme, comme il sied aux séjours de luxe.

les commandes d'une embarcation privée aux lignes épurées. Le sympathique équipage d'Euromarine est là pour s'assurer que votre séjour sera une véritable évasion du quotidien et de ses soucis. Les marins chevronnés, qui préfèrent être maîtres à bord, peuvent choisir l'affrètement coque nue, sans équipage.

Dans tous les cas, les principales

...le séjour sera une véritable évasion du quotidien et de ses soucis...

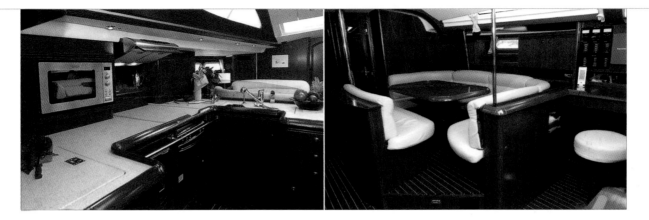

activités au large seront les bains de soleil, la lecture, la plongée ou, tout simplement, la contemplation.

Portés par la douce brise méditerranéenne, les amoureux de la mer se délecteront des senteurs marines, au gré de journées paisibles et de criques exquises, en mettant le cap sur le Monténégro.

Les adeptes de l'adrénaline se tourneront vers les accélérations fluides des navires pure race tout équipés qui allient simplicité et performance. Conçus pour la vitesse, aménagés dans la plus grande élégance, ils conviendront aux vrais connaisseurs comme aux non-initiés.

Avec sa flotte exceptionnelle de 100 navires, Euromarine peut répondre à toutes les envies, avec une sécurité assurée grâce à un service d'appoint irréprochable. Tous les yachts sont équipés du meilleur matériel de navigation, sans rien céder au confort et au luxe. Les séjours sont encore facilités par les services de transfert à l'aéroport et d'approvisionnement complet des navires.

Euromarine accroît et diversifie sa flotte au fur et à mesure que les merveilles de la côte croate sont révélées au monde.

L'agence possède des catamarans, des yachts motorisés et des voiliers ultra-modernes. Ces navires opulents présentent des salons aérés et une décoration de style classique, avec une économie d'espace et une fonctionnalité qui répondent aux critères les plus exigeants des plaisanciers modernes.

Difficile de ne pas se laisser tenter par une croisière privée sur l'incomparable côte Adriatique. Et pour des traversées en toute sécurité et des escales dans le plus grand confort, c'est, sans aucun doute, à l'agence la plus expérimentée de Croatie qu'il faut s'adresser.

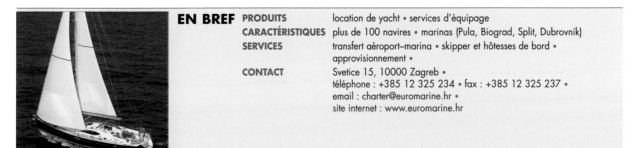

EN BREF

PRODUITS	location de yacht • services d'équipage
CARACTÉRISTIQUES	plus de 100 navires • marinas (Pula, Biograd, Split, Dubrovnik)
SERVICES	transfert aéroport–marina • skipper et hôtesses de bord • approvisionnement •
CONTACT	Svetice 15, 10000 Zagreb • téléphone : +385 12 325 234 • fax : +385 12 325 237 • email : charter@euromarine.hr • site internet : www.euromarine.hr

PHOTOGRAPHIES REPRODUITES AVEC L'AIMABLE AUTORISATION DE EUROMARINE.

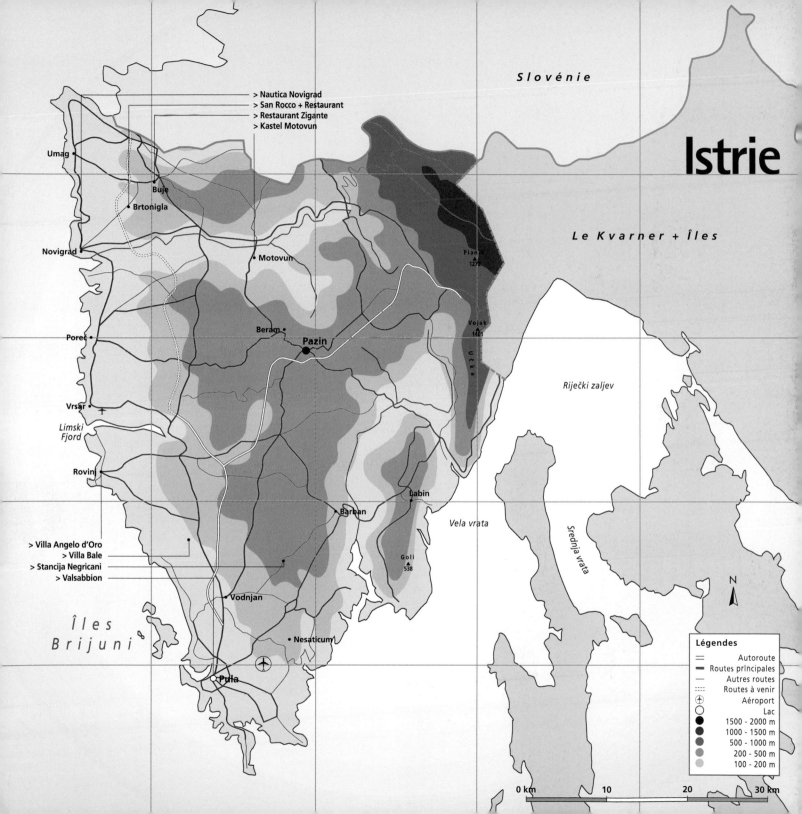

Istrie

Slovénie

Le Kvarner + Îles

> Nautica Novigrad
> San Rocco + Restaurant
> Restaurant Zigante
> Kastel Motovun

Umag

Buje

Brtonigla

Novigrad

Motovun

Poreč

Beram

Pazin

Planik
1272

Vojak
1401

Učka

Riječki zaljev

Vrsar

Limski Fjord

Rovinj

Labin

Vela vrata

Barban

Srednja vrata

> Villa Angelo d'Oro
> Villa Bale
> Stancija Negricani
> Valsabbion

Goli
538

Vodnjan

Nesaticum

Îles Brijuni

Pula

N

Légendes

≡	Autoroute
▬	Routes principales
—	Autres routes
┈	Routes à venir
⊕	Aéroport
○	Lac
●	1500 - 2000 m
●	1000 - 1500 m
●	500 - 1000 m
●	200 - 500 m
●	100 - 200 m

0 km   10   20   30 km

un triangle d'or

L'Istrie ? Une péninsule qui s'inscrit dans l'Adriatique
entre les villes de Labin (en bordure du Kvarner),
de Pula à la pointe Sud et Umag à l'Ouest vers
la frontière slovène et, au-delà, Trieste, passage
obligé vers l'Italie. Un triangle d'or, chargé d'histoire,
avec en héritage de riches témoignages du passé.

Des vestiges laissés par les Histri de la préhistoire, les Romains, les Byzantins, les
Vénitiens, les Austro Hongrois : l'Istrie est un livre d'histoire que l'on feuillette à ciel ouvert.
« On y retrouve la grandeur de Rome avec la splendeur de Byzance et le raffinement
de Venise ». Villages aux ruelles étroites, linges qui claquent aux fenêtres, cafés animés,
campagne ponctuée de vignobles, d'oliveraies et de cyprès…, son atmosphère,
imprégnée par 400 ans d'occupation vénitienne, est définitivement italianisante.

L'origine du nom, Istrie, viendrait de la légende grecque des Argonautes qui
appelèrent le Danube Istros. Ils croyaient que le fleuve bleu possédait de nombreuses
embouchures, dont celle de la rivière Mirna qu'ils empruntèrent pour tenter d'atteindre
l'Adriatique. Plus tard, au IIIe siècle av. J.-C., les Romains désignèrent les habitants
de la péninsule sous le nom d'Histri.

Dès l'âge du bronze, ces tribus vivaient en communautés. Chasseurs, pêcheurs,
mais aussi pasteurs, possédant des troupeaux de moutons et de chèvres, les Histri
se réfugiaient sur les collines, dans des villages fortifiés entourés de murs de pierres
sèches. Ils habitaient dans des huttes circulaires aux toits recouverts de pierres plates,
dont le mode de construction, « Hiza », perdure encore dans la campagne istrienne.

Nesactiuma, qui fut identifié comme étant la dernière capitale des Histri, se trouve
à 4 kilomètres de Pula. L'historien romain Titus Livius donne un fidèle récit de la
conquête de Nesactium pendant le siège des Romains en 177 av. J.-C. Sur ce lieu,
préhistorique et historique, on trouve des traces de thermes et temples romains mais,
plus troublant, les fondements d'une basilique paléochrétienne de la première ère.

*PAGE 48 : l'immense
amphithéâtre est le symbole de
Pula la romaine.*

*PAGE DE GAUCHE : on pénètre dans
le cœur de la cité de Pula par
l'arc de Sergius, merveille
d'architecture ciselée dans la
pierre blonde.*

*CI-DESSUS ET CI-DESSOUS : dans la
campagne istrienne, les
traditionnelles cabanes en
pierre sèche servaient de
refuge aux paysans ;
au pays de la vigne, les cafés
et les konoba (auberges) ne
manquent pas à Groznjan.*

pula, sous les pavés, l'histoire

La colonie maritime de Pola ou Pula, « la Colonia Pulia Pollentia Herculanea »
des Romains, était entièrement vouée au commerce maritime qui fit sa richesse.
Très convoitée pour sa position stratégique, Byzance s'en empare en 539.
En 1145, Pula fait vœu de fidélité à Venise jusqu'à l'arrivé des Français en 1797,
puis passe, en 1813, sous l'autorité des Austro-Hongrois pour devenir le plus important
chantier naval de l'empire. Elle fut annexée par l'Italie en 1918 pour, en 1947,
faire partie de la Yougoslavie et devenir capitale administrative de la province
de l'Istrie en Croatie.

Selon la mythologie, les Argonautes fondèrent Pula pour s'y établir le temps,
espéraient-ils, de récupérer la Toison d'or et de rentrer chez eux, en Cochide,
avec le précieux trophée.

C'est pendant la période romaine, de 43 après J.-C. jusqu'à la chute de Rome,
que Pula connût son âge d'or et devînt un important centre administratif
et commercial. Elle fut dotée de toutes les commodités d'une ville moderne
de l'époque, bains, égouts, canalisations... et s'enrichit de monuments, dont il subsiste
de fabuleux témoignages. D'autres vestiges, encore enfouis sous les pavés
du Moyen Âge, attendent d'être dévoilés. Des fouilles archéologiques
sont actuellement entreprises sur la place du Forum qui met en évidence le tracé
de l'ancienne citée romaine.

Le poète Dante, lors de son passage à Pula, se pénétra de la vision des sépultures
romaines et de la relation de la terrible peste au XIIIe siècle, pour son IXe chant
de l'Enfer. Dans son roman *Mathias Sandorf*, Jules Verne, dans un autre registre,
dépeint avec la minutie d'un graveur les ruines antiques de Pula.

Posée à la pointe méridionale, au bord de l'Adriatique, Pula semble être encore
la gardienne maritime de l'Istrie. Elle présente aux visiteurs, la double image d'une cité
figée dans la conservation d'un trop riche passé, et de l'autre, celle d'une ville
en mouvement qui se voue à l'industrie navale.

*CI-DESSUS : sur la place principale
de Pula, le temple d'Auguste
trône en majesté. Sous les
pavés du Moyen Âge, les
strates de l'histoire
s'accumulent depuis l'Antiquité.*

*PAGE DE DROITE : les glorieux
vestiges de l'amphithéâtre sont
comme une couronne impériale
offerte à la ville de Pula.*

Au bord de l'Adriatique, Pula semble être encore la gardienne maritime de l'Istrie.

Passé et présent se mêlent parfois ! Au cœur de la vieille ville, étonnante vision d'un quai jalonné de hautes grues métalliques où la proue rouillée d'un navire marchand semble s'encastrer entre deux anciens bâtiments.

En arrivant de Rovinj par la route, l'approche de cette cité industrieuse déçoit, mais très vite, la couronne de pierre ocre de l'arène qui surgit triomphante sous le soleil nous comble d'aise. L'antique Pula émerge splendide. Comme une conque, elle s'enroule autour de la forteresse.

En suivant le tracé elliptique de l'artère principale, la rue Sergijevaca, on découvre, chemin faisant, les principaux trésors de la ville. On s'évade dans le temps de la Rome antique, puis dans celui de l'empire austro-hongrois et on passe du style gothique à celui de la Renaissance. Deux mille ans d'histoire nous regardent ! Chateaubriand et Jules Verne n'auraient pas désavoué !

En partant de l'arc de Sergius, la porte d'Or, un arc de triomphe finement sculpté, la perspective de la grande artère envahie de monde à toute heure est impressionnante. À l'ombre d'une ruelle, la chapelle paléochrétienne de Sainte-Marie-de-Formose, érigée vers 566, est un aveu de la ferveur des premiers chrétiens. Ses mosaïques sont pieusement conservées au Musée archéologique. Proche de la mer, la façade Renaissance et le campanile du XVIIe siècle de la cathédrale recèlent en fait un des plus anciens sanctuaires religieux de la chrétienté. La base fut construite avec les pierres prélevées dans l'arène romaine et le maître-autel repose sur un ancien sarcophage. Plus loin, on replonge dans l'époque romaine. Sur la place, le vaste Forum et l'élégant temple d'Auguste étaient le cœur de la cité.

Mais il suffit d'un quart de tour et l'édifice gothique de l'hôtel de ville apparaît avec ses rajouts d'arcades Renaissance qui nous renvoient sans transition au XIIIe siècle. Le monastère franciscain à la belle sobriété et son cloître se situent quant à eux cent ans plus tard. En remontant, on aperçoit la citadelle, œuvre d'un architecte français du XVIIe siècle et, à flanc de colline, entre la porte Double et la porte d'Hercule, le bâtiment du Musée archéologique, d'inspiration autrichienne, qui domine la ville de toute sa hauteur.

À l'extérieur des remparts, l'amphithéâtre, qui pouvait contenir plus de 20 000 spectateurs, fut érigé au Ier siècle sous le règne d'Auguste et de Vespasien. Taillée dans la pierre blonde dont la région est prodigue, cette vaste ellipse, de plus d'un hectare, s'inscrit avec ses soixante-douze arches sur deux niveaux surmontés d'une couronne. La lumière pénètre à flot et, le soir, caressé par le soleil couchant, ce monument qui vire à l'or et au bronze, semble être de dentelle.

porec, petite ville et grand trésor

Ancrée au plus profond sur la cote ouest de l'Adriatique, Porec était, de 1902 à 1935, reliée par une petite ligne de chemin de fer à Parenzana.

Camp militaire fondé par les Romains en 129 av. J.-C., la cité devint au Ier siècle un « municipe » sous le nom de Colonia Julia Parentium. Le cœur de la ville ancienne

PAGE DE GAUCHE : à Pula, la basilique de Sainte-Marie-Formosa, une des premières de la chrétienté, appartient à l'époque paléochrétienne.

CI-DESSUS : ancré au plus profond de la cote ouest de l'Adriatique, le port de Porec est un havre pour les bateaux de plaisance et une escale incontournable.

a gardé son tracé cruciforme originel. La longue rue centrale, le Decumanus et le Cardo Maximus se croisent à angle droit, rejoints par d'innombrables ruelles. Des rues, aux dalles polies par le temps, jalonnées de demeures moyenâgeuses et de palais gothique ou Renaissance, attestent de l'ancienne prospérité de la ville.

divine surprise

Après avoir parcouru les dédales bordés d'innombrables boutiques de souvenirs – dont les hideuses enseignes masquent de délicates façades ouvragées –, après avoir traversé la place Marafor, envahie de bimbeloteries et couverte de parasols aux couleurs criardes, on tombe, en longeant la résidence des Chanoines, sur une divine surprise ! Un étroit et discret passage mène à la basilique euphrasienne dont l'ensemble, avec le baptistère et le campanile, d'une exceptionnelle beauté, est inscrit sur la liste du patrimoine mondial de l'Unesco.

La population de Porec fut christianisée vers la fin du Ier siècle, et son évêque saint Maur martyrisé sous le règne de l'empereur Dioclétien. Au IVe siècle, après la conversion de l'empereur Constantin, le culte des chrétiens pu s'exprimer au grand jour. La basilique, édifiée entre 543 et 554 par l'évêque Euphrase, est une remarquable synthèse de l'architecture romaine et de l'art byzantin, bel exemple d'un art sacré chrétien encore balbutiant qui s'épanouissait alors dans la Constantinople du Ve siècle. Sous la coupole et dans le chœur, une constellation de mosaïques ruisselantes d'or, aux traits cernés de couleurs sombres, représente les thèmes récurrents du Nouveau Testament : le Christ en majesté, la Vierge à l'enfant et l'Annonciation. Autour, saints, anges et l'évêque Euphrase portant la maquette de la basilique, évoluent dans un état proche de la béatitude.

l'istrie bleue – les îles brijuni

Les Brijuni, quatorze îles au large de Pula, sont inscrites au Patrimoine et classées Parc naturel. Le géographe Strabon les aurait déjà mentionnées, au Ier siècle av. J.-C.

PAGE DE GAUCHE : la basilique Euphrasienne avec sa coupole constellée d'or est le trésor de la ville de Porec ; le campanile de la basilique s'élève dans le ciel sur fond de bleu azur.

CI-DESSUS : les dalles polies par le temps des ruelles de Porec.

Les premiers documents, selon Pline l'Ancien, font référence aux antiques Insulae Pullariae, les îles des corbeaux – il semblerait que ce soient plutôt celles des poules d'eau qui y nidifiaient en grand nombre.

On dit « les Brijuni » comme on dit « la Callas ». La plus grande de ces îles, Veli Brijuni, a abrité la naissance de Venus et la résidence de Tito. Dix minutes de traversée en bateau taxi, au départ du port sardinier de Fazana, suffisent pour l'atteindre. Les autres îles, quasiment vierges, ne se visitent pas ou en excursion privée.

Veli la grande fut très vite repérée par les familles patriciennes et impériales romaines qui en firent leur lieu de villégiature. Dans la baie de Verige, on trouve les ruines d'une vaste et très riche « villa rusticae » qui s'étendait en terrasse jusqu'à la mer. C'est dans cette baie que Venus serait sortie de l'onde. Un temple dédié à l'amour lui était consacré.

Plus récemment, Brijuni fut marquée par
le règne de Tito et conserve le zoo qu'il avait
fait aménager avec les animaux exotiques
qu'il appréciait tout particulièrement et qui
lui ont survécu. Sa résidence, la villa Blanche,
ne se visite pas, mais c'est là qu'il recevait
ses hôtes illustres et que, le 19 juillet 1965,
en présence de Nasser et de Nehru, fut signé
le pacte des pays non-alignés.

Se promener dans l'île à pied ou à vélo
est un ravissement, pour peu que l'on s'éloigne
du circuit imposé par le petit train. On peut
surprendre un groupe de cerfs tapis à l'ombre
d'un grand chêne ou un couple d'antilopes qui
traversent le sentier. Le parc empli de lauriers,
de myrtes, de magnolias, d'eucalyptus
et d'oliviers centenaires est entretenu avec des
soins de nurse anglaise. Un véritable arboretum
avec plus de 3 000 chênes et pins d'Alep,
plus de 86 sortes de plantes exotiques et…
la rose de Brijuni…

rovinj, île-presqu'île
La petite ville de Rovinj ramassée sur les
flancs de la colline du mont Albanus a
un charme fou. Elle apparaît baroque dans
un étrange dégradé composite de toits rouge,
brique et safran au-dessus desquels émerge

Rovinj est l'image même de la carte postale...

la flèche de la cathédrale
Sainte-Euphémie construite
à l'imitation de San Marco
à Venise. Elle tire son nom
d'une sainte et martyre dont les
ossements seraient arrivés en
l'an 800 à Rovinj par la mer,
flottant dans un sarcophage
de marbre. Un miracle ! La
sépulture de la sainte patronne
de la ville, pieusement
conservée dans l'église, est
l'objet de toutes les dévotions.

Au Moyen Âge, Rovinj était un îlot protégé par des remparts fermés par sept
portes et séparé de la terre ferme par un chenal. Aujourd'hui rattachée au littoral,
ceinturée de bateaux au mouillage, avec ses hautes maisons moyenâgeuses, les tables
des cafés calées sur les ruelles pentues, elle est l'image même de la carte postale.

l'istrie verte – une autre toscane

Après la traversée des paysages alpins du Kvarner, tout semble s'adoucir, la roche
se délite. Entre mer et collines, dans l'intérieur de l'Istrie, l'espace reprend ses aises.
La vallée s'élargit et les champs cultivés se partagent les lieux avec les oliveraies
et les vignobles étagés. Même si les failles vertigineuses sont encore apparentes
çà et là, si les promontoires rocheux avec leurs villages perchés font encore
de la résistance, on sent la douceur d'une campagne presque toscane.

Les routes s'éloignent des rivages en de multiples virages pour mieux se glisser en
lacets vers l'intérieur. Elles avalent les collines, se faufilent à travers bois et débouchent
parfois, miraculeusement, au sommet d'un village fortifié où l'on doit s'arrêter.

*PAGE DE GAUCHE : Rovinj semble
flotter, avec en point d'orgue la
flèche de Sainte-Euphémie.*

*CETTE PAGE (DE HAUT EN BAS) : le
passage de la ville basse à
la ville haute se fait par
l'arche de Balbi ;
fontaine sur la place de Rovinj.*

pazin, au cœur de l'istrie

Cette forteresse du Xe siècle, posée sur un plateau en surplomb du gouffre de la rivière Pazin, fut pendant longtemps le point stratégique de la partie autrichienne de l'Istrie, l'ultime défense contre les envahisseurs vénitiens et turcs. Reconstruit au XVIIIe siècle, le château fort abrite un musée ethnographique. Il servit de modèle à l'écrivain Jules Verne pour son héros Mathias Sandorf qui, prisonnier dans ce château, s'enfuit par le donjon. L'écrivain ne se rendit jamais à Pazin, mais la ville lui rend hommage lors d'un festival chaque année au mois de juin.

beram, l'art sacré croate

Tout près de Béram, en pleine campagne, la chapelle Sainte-Marie de Skriljine abrite des fresques murales considérées comme les plus émouvantes et les plus intéressantes de l'art sacré croate. De style renaissance naïf, le baroque de la période austro-hongroise, elles furent exécutées en 1474 par le maître local Vincent de Kastav. Des scènes de la Bible et de la vie de Jésus, de Marie et des saints couvrent les murs jusqu'au plafond. Celle, plus profane, de la Danse macabre, est saisissante de réalisme.

Vizinada, Zminj ou Draguc : les sites religieux d'Istrie abritant de précieuses fresques sont la plupart du temps fermés. Pour les visiter, il faut partir à la recherche du détenteur de la clef, généralement au village le plus proche.

Hum est la plus petite ville d'Europe et même, au dire de ses habitants qui en sont très fiers, du monde ! En faire le tour prend à peine un quart d'heure à moins que, touché par le côté hors du temps de cette miniature, vous vous posiez sur un banc.

au pays de la vigne et de l'olivier

In vino veritas. Dès la plus haute antiquité, les navigateurs grecs connaissaient les vertus du nectar croate. La longue procession d'amphores retrouvées au

Des fresques murales considérées comme les plus émouvantes et les plus intéressantes de l'art sacré croate...

fond de l'Adriatique atteste du commerce aussi intensif que lucratif des vins. Le nom de la baie de Kalavojna, sur la côte Est, viendrait de *kalos oinos*, bon vin en grec.

On s'interroge encore sur la localisation du Vinum Pucinum, un vin local très prisé par l'impératrice Julia Augusta qui proclamait qu'elle devait sa longue vie à ses vertus. C'était probablement un vin issu du cépage Teram. Les collines de Sovinjak Buzet et de Motovun se disputent encore cet héritage. Au Moyen Âge, on servait sur les tables royales le muscat d'Istrie, et la République de Venise, pendant son occupation, s'était octroyé le juteux monopole des vins. Pendant la période de l'empire austro-hongrois, 3 000 hectares de vigne furent plantés. Aujourd'hui, le vin est devenu un enjeu économique de premier plan pour l'Istrie. Les touristes ont le plaisir de le découvrir et goûter sur place, il existe une centaine de caves et beaucoup sont ouvertes à la visite et organisent des dégustations. Le cépage le plus courant, le Malvasia, un vin sec de couleur jaune paille, au bouquet de fleurs blanches, se boit avec les fruits de mer, la viande blanche ou les truffes. Le Momjan Muscat et le Rose Muscat, de la région de Porec, accompagnent agréablement les desserts. Le Teram, plus puissant, d'un rouge rubis, au goût de fruits sauvages, est réservé au gibier et viandes. Jeune, il rentre dans la composition de la très populaire soupe au pain.

Vignes et oliviers sont solidaires de la même terre et de la même exposition et se concentrent plus particulièrement dans la partie Nord, entre la rivière Mirna et la frontière slovène. La région d'Istrie propose quatre routes des vins qui vont de Rovinj, Vodnjan à Porec, Buje ou Pazin. Ces routes ont été élaborées en étroite collaboration avec des vignerons et des propriétaires viticoles.

la truffe, l'or noir de l'istrie

Tout commença en 1929, quand des ouvriers italiens, travaillant à la construction du train devant relier Trieste à l'Istrie, trouvèrent des truffes dans la vallée de Mirna.

Elles furent vendues en Italie sous l'appellation d'*Alba*. On en recense quatre sortes : la magnatum blanche, la melanosporum noire, l'aestivum à l'intérieur blanc et extérieur noir, et la brumale mélangée noire et blanche. Enfouie dans l'humus des sous-bois, flairée par les chiens, elle est abondante autour de Livade et de Motovun. La truffe de Croatie ne se réduit pas à une curiosité, elle est d'excellente qualité et très parfumée. Moins réputée que sa rivale italienne, elle méritait d'être reconnue comme telle et vendue sous son propre label. Ce fut chose faite le 2 novembre 1999, suite à la découverte par un habitant de la région, Giancarlo Zigante, de la plus grosse tubéreuse. Cette prise, de la taille d'un ballon et pesant 1,30 kg, fut inscrite au livre des records. Servie lors d'un mémorable repas, elle put satisfaire une centaine de convives ! La truffe d'Istrie acquérait ses lettres de noblesse et sa promotion se fit par le biais de toutes les gazettes.

Après son exploit, Zigante réalisa que la truffe pouvait être la vedette de la gastronomie istrienne. La petite ville de Livade près de Motovum, avec son restaurant Zigante Tartufi, devint le centre de la truffe.

Mais on la trouve au menu de toutes les tables de la région, accommodée traditionnellement avec les pâtes, le risotto, la polenta ou les pommes de terre. Dans des recettes plus créatives, elle accompagne l'asperge sauvage ou les champignons qui poussent en abondance dans les environs. Très inspiré, le restaurant Zigante n'hésite pas à la marier avec du chocolat blanc ou des sorbets dans de savantes compositions.

En octobre, les journées de la truffe se déroulent à Livade pendant la récolte, et à Motovun, le troisième week-end.

PAGE DE GAUCHE ET CETTE PAGE : la truffe, l'or noir ou blanc de l'Istrie, est élevée au rang d'œuvre d'art. On en trouve surtout autour de Motovun et de Livade, devenu le centre de la truffe. Toutes les bonnes tables de la région vous feront déguster leur trésor gastronomique.

une tendance, « l'agritourisme »

Depuis des années, quelques voyageurs s'aventuraient dans l'Istrie verte. Fuyant les grands hôtels bains de mer et les campings saturés du littoral, ils se tournaient vers l'intérieur des terres en parcourant la campagne à pied, à vélo. S'arrêtant chez l'habitant, ils découvraient toutes les richesses d'une ruralité authentique, la vraie nature de l'Istrie.

Participer aux travaux des champs, s'essayer à la traite des vaches, partir pour la cueillette des baies et des champignons, profiter d'une fête locale ou faire les vendanges devenait ludique. Tous, appréciaient d'être reçus en amis, de partager le quotidien et surtout de savourer les repas fait maison. On les considérait, affectueusement, comme des originaux aimant l'odeur du pain frais, du foin et du fromage de chèvre.

Les notions d'écologie et de protection de la nature aidant, la région prit en considération ce goût pour la campagne et mit en place un « agritourisme » proposant des hébergements aux normes et des activités de plein air.

Les produits régionaux, mais aussi toute une tradition agricole, sans oublier la chasse et la pêche ainsi que l'artisanat et les coutumes locales deviennent ainsi les composantes de l'agritourisme qui doit conjuguer qualité et accueil. Aujourd'hui, on ne compte plus les sentiers pédestres, les circuits à vélo, les chemins de randonnées et autres échappées bucoliques ou culturelles.

Maisons de villages, hôtels dans des demeures familiales, séjours dans les propriétés

viticoles ou à la ferme, villas privées ou chambres d'hôtes… le choix est vaste pour l'hébergement. Des centaines de logis aux champs ont fleuri et sont répertoriées dans un guide multilingue, *Istria Ruralni Turizam Agroturiza*, disponible dans les offices de tourisme de Croatie.

CETTE PAGE : un ciel Toscan pour une campagne istrienne ; en Istrie, on préserve la pêche traditionnelle.

PAGE DE DROITE : avec l'agritourisme, les activités de plein air, non polluantes, se développent comme la randonnée à pied ou à vélo.

PAGES SUIVANTES : à Ovigrad, les ruines de la tour de ce château médiéval semblent encore attendre l'arrivée du chevalier.

...les richesses d'une ruralité authentique, la vraie nature de l'Istrie...

Le San Rocco

Du haut de sa colline, le village de Brtonigla surplombe l'Adriatique, à 30 km de la frontière italienne. Les premiers vestiges de son peuplement, encore visibles aujourd'hui, remontent à l'âge du bronze. Des fortifications héritées de l'ère de la conquête romaine ont précédé la construction de châteaux féodaux, qui ont déterminé le développement de la ville telle qu'on la découvre aujourd'hui.

Au cœur de la ville se trouve l'hôtel-restaurant San Rocco. Ce petit établissement luxueux tenu par un personnel familial consiste en trois bâtiments de ferme restaurés et joliment meublés.

Le premier bâtiment comprend la plupart des douze chambres de l'hôtel, chacune décorée dans un style propre, qui donnent sur la mer ou sur la ville. Murs à nu, plafonds à poutres et parquet plantent le décor. Toutes les chambres sont équipées de la climatisation, d'un mini-bar, de la télévision câblée, d'un coffre-fort et d'une connexion internet. Plusieurs chambres sont aménagées pour les personnes à mobilité réduite.

Ce premier bâtiment comprend également un bar à vin chaleureux, et un restaurant gastronomique parmi les plus fins de la région. La carte propose des spécialités de saison, comme des truffes, des champignons, du jambon et du gibier séchés, qui peuvent toutes se marier avec

DE HAUT EN BAS : le restaurant San Rocco sert une cuisine locale ; les repas peuvent être pris au bord de la piscine.

PAGE DE DROITE (DANS LE SENS DES AIGUILLES D'UNE MONTRE) : les poutres confèrent une ambiance rustique aux chambres cosy ; l'accueillante réception ; le bar à vin attend ses hôtes pour un dernier verre après le repas.

des vins d'Istrie de la belle cave du San Rocco, tels que du malvasia ou du terrano. Les repas, petit-déjeuner compris, peuvent être servis sur la terrasse qui donne sur le jardin et la piscine extérieure.

Le deuxième bâtiment accueille une salle de réception polyvalente ainsi que le précieux cellier.

Le troisième édifice présente une terrasse extérieure et abrite un centre de bien-être qui comprend une piscine, un sauna et des salles de massage.

La campagne environnante est réputée pour ses vignes, où mûrissent les très appréciés malvasias et terranos. Elle est propice aux activités de plein air comme la randonnée, le cheval ou le vélo. Le village de Brtonigla est renommé pour ses *konobas* (petits restaurants familiaux) et ses caves à vin, où se dégustent les nectars de la région.

CHAMBRES	12 chambres
RESTAURATION	restaurant San Rocco : régionale
BOISSON	bar à vin
SERVICES	centre de bien-être • équipement pour les personnes à mobilité réduite • chenil
AFFAIRES	salle de réunion
ENVIRONS	Brtonigla • côte Adriatique
CONTACT	Srednja Ulica 2, 52474 Brtonigla • téléphone : +385 52 725 000 • fax : +385 52 725 026 • email : info@san-rocco.hr •

Nautica Novigrad

Récemment encore, la côte de l'Adriatique était l'un des secrets les mieux gardés d'Europe, connu uniquement de quelques visiteurs initiés. Mais avec l'ouverture du pays à la fin du siècle dernier, la confidence a été révélée et la région est devenue une destination phare.

Avec ses eaux calmes et azurées, son climat méditerranéen, ses villes historiques et sa population chaleureuse, la côte croate mérite sans nul doute l'engouement des voyageurs. Surtout, la région a su s'adapter rapidement aux goûts d'aujourd'hui pour offrir une qualité de service qui n'a rien à envier aux destinations plus établies.

Sur la presqu'île d'Istrie, l'hôtel Nautica Novigrad illustre à merveille cet essor. Installé en bord de mer, juste à la sortie de la ville de Novigrad vieille de 1 400 ans, ce nouveau complexe haut de gamme a été construit au sein d'une marina, sur la baie naturelle et bien abritée de Novigrad. Avec 365 postes d'amarrage en mer et 50 à sec, ainsi que des emplacements pour les grands yachts, cette marina offre tout le nécessaire au touriste marin, dont un centre de services, une station-essence, une laverie, du matériel de nettoyage et... une clinique dentaire !

L'hôtel reste fidèle au thème nautique dans son ambiance et sa décoration qui évoquent les majestueux transatlantiques d'autrefois. Établissement parmi les plus luxueux de l'Adriatique, il contient

Son ambiance et sa décoration évoquent les majestueux transatlantiques d'autrefois...

38 chambres et 4 appartements fastueux, tous équipés du matériel dernier cri, et tous avec vue saisissante sur la mer ou la ville.

Le Nautica Novigrad peut aussi être fier de son restaurant de gourmets. N'utilisant que des produits locaux soigneusement sélectionnés, le Navigare Restaurant est spécialisé dans les plats d'Istrie à base de truffes, d'asperges et de jambon séché à

l'air. Par ailleurs, le bar-lounge et le centre de conférence ultra-moderne se prêtent parfaitement à l'organisation de séminaires ou de mariages.

Pour se régénérer mentalement et physiquement, le complexe propose un centre de bien-être avec piscine intérieure, bassin pour enfants, hammam, sauna, douches aromatiques et salle de fitness très

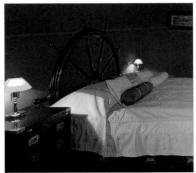

bien équipée. On notera aussi le salon de beauté, qui offre des massages et des soins du corps et du visage des plus relaxants.

N'hésitez pas à visiter la ville de Novigrad qui vaut le détour. Avec ses rues charmantes et ses bâtiments anciens, ce centre historique concentre les diverses influences culturelles qui ont façonné l'identité croate. Pour finir la journée, il n'est rien de mieux que de flâner dans cet entrelacs de fortifications et de tours du VIIIe siècle, d'imposants palais Renaissance et d'églises médiévales.

EN BREF

CHAMBRES	38 chambres • 4 suites
RESTAURATION	Navigare Restaurant : régionale
BOISSON	bar-lounge Nautica
SERVICES	centre de bien-être • salon de beauté • piscine • court de tennis • aire de jeux pour enfants • clinique dentaire
AFFAIRES	salle de réunion
ENVIRONS	Venise • Trieste • Pula • Porec
CONTACT	Sv. Antona 15, 52466 Novigrad • téléphone : +385 52 600 400 • fax : +385 52 600 450 • email : info@nauticahotels.com • site internet : www.nauticahotels.com

Kastel Motovun

Quand le potentiel touristique de la Croatie a enfin été mis en évidence dans les années 1990, c'est la côte qui a raflé presque toute l'attention.

La consécration tardive de ses magnifiques rives préservées, si elle est totalement justifiée, vole malheureusement la vedette aux très intéressantes terres intérieures du pays.

Cette « autre Croatie » renferme pourtant certaines des villes médiévales les plus intactes, parmi lesquelles la petite bourgade montagnarde de Motovun, en plein cœur de la presqu'île d'Istrie.

La légende raconte que la ville fut édifiée par des géants des vallées. Mais ses origines remontent plus probablement au Moyen Âge, époque où la menace des brigands força la population à fortifier la petite cité perchée sur la montagne. Motovun en a gardé un très riche héritage architectural et culturel et, avec son panorama sur la vierge campagne alentour, elle représente une destination de premier choix.

Motovun a conservé la facture ancienne qui lui a valu sa notoriété, avec sa place de style vénitien, ses vieilles églises, ses

DE HAUT EN BAS : la charmante façade rouge de l'hôtel reflète sa chaleureuse atmosphère ; les chambres sont douillettes et confortables ; l'emplacement de la ville permet des vues saisissantes.

PAGE DE DROITE (DE HAUT EN BAS) : le restaurant propose une cuisine locale unique ; les jardins délicieusement aménagés.

slave, méditerranéenne et germanique qui se mêlent en Croatie, et des mets uniques à la région tels un jambon séché à l'air, une version locale du minestrone et des variétés noires et blanches de truffes.

L'emplacement central de l'hôtel permet aux clients de profiter des attraits de la ville, et constitue une bonne base de départ pour sillonner dans les environs. Les villes

historiques de Pazin, Beram, Hum, Porec et Rovinj sont toutes relativement proches en voiture. Un peu plus loin, à l'extrême sud de la péninsule, se trouvent le foyer culturel de Pula, et un superbe archipel qui accueille le parc national de Brijuni. Les amateurs d'activités en plein air auront aussi le loisir de s'adonner au cheval, au canoë, au vélo, ou encore à des parties de chasse.

enceintes médiévales et son agencement des rues identique depuis un millénaire. L'unique hôtel de la ville, le Kastel Motovun, se montre fidèle à cette histoire. Dominant la place principale, cet ancien château, restauré et tenu par une famille attentionnée, propose 28 chambres, toutes avec vue sur la ville et la campagne.

L'hôtel dispose en outre d'un charmant café, d'une galerie d'art et de l'un des meilleurs restaurants de la région, le fraîchement rénové Blue Dining Room. La carte reflète les grandes influences culinaires

EN BREF		
CHAMBRES	28 chambres • 2 suites • 1 appartement	
RESTAURATION	Blue Dining Room : locale	
BOISSON	vins d'Istrie • café de l'hôtel	
SERVICES	galerie d'art • salle de massage	
AFFAIRES	salles de réunion • connexion internet	
ENVIRONS	Motovun • Pazin • Beram • Hum • Porec • Rovinj	
CONTACT	Trg Andrea Antico 7, 52424 Motovun • téléphone : +385 52 681 607 • fax : +385 52 681 652 • email : info@hotel-kastel-motovun.hr • website : www.hotel-kastel-motovun.hr	

PHOTOGRAPHIES REPRODUITES AVEC L'AIMABLE AUTORISATION DU KASTEL MOTOVUN.

Villa Angelo d'Oro

Au sommet d'une colline entourée presque entièrement par la mer et reliée à la terre juste par un isthme effilé, la ville de Rovinj, sur la presqu'île d'Istrie, remonte à des temps ancestraux. D'abord colonisée par les Romains, la ville continua son expansion jusqu'au Moyen Âge, époque à laquelle les habitants en vinrent tout simplement à manquer de place, ce qui eut pour effet d'empêcher tout développement ultérieur. Résultat imprévu, mais des plus enchanteurs, Rovinj a conservé le caractère et le charme médiévaux de ses origines, à l'instar de la toute proche Venise, à ceci près que les rues pavées sinueuses remplacent les canaux.

Dans l'une des plus belles rues du cœur de cette ville piétonne se trouve l'hôtel Villa Angelo d'Oro, un ancien palais d'évêque du XVIIe siècle merveilleusement rendu à sa splendeur d'autrefois. Cette adresse de charme est meublée dans le plus grand goût, avec des étoffes anciennes et des peintures à l'huile savamment sélectionnées. Avec ses 24 chambres et suites délicieuses, elle offre un lieu de séjour inégalé pour visiter la ville.

Malgré les nombreux restaurants dans les rues et les passages alentour, il n'est pas besoin d'aller plus loin que le restaurant de l'hôtel pour déguster un dîner de toute première qualité. Cette grande table sert une cuisine de gourmet internationale, sous l'œil vigilant du célèbre Ange d'or qui a donné son nom à l'établissement. Les spécialités de la maison incluent du poisson et des fruits de mer rapportés par les pêcheurs du coin, ainsi que des plats

DE HAUT EN BAS : une chambre décorée dans la douceur des tons turquoise ;
le restaurant Angelo d'Oro et l'ange qui lui a donné son nom ;
l'élégance décontractée du salon.

PAGE DE DROITE (DE GAUCHE À DROITE) :
le bar du jardin sert des rafraîchissements toute la journée ;
l'Angelo d'Oro recèle de multiples recoins confortables.

végétation méditerranéenne luxuriante qui forment une oasis de paix et de tranquillité.

Et pour ceux qui voudraient s'aventurer à l'extérieur, l'hôtel organise des promenades en bateau dans les nombreux îlots de l'archipel de Rovinj, pour mieux profiter des eaux claires, des plages vierges et des criques abritées de l'une des côtes les plus belles et les mieux préservées d'Europe.

méditerranéens excellemment concoctés, et des mets locaux tels du jambon et du fromage d'Istrie. Le vin peut être choisi directement dans le vaste cellier de l'hôtel, et le verre de grappa est un incontournable pour achever le repas en beauté.

Après l'agitation de la ville, la sérénité de l'Angelo d'Oro vous tend les bras. Pour les amis de la lecture, une bibliothèque se trouve au dernier étage, où la terrasse préférée de l'ancien maître des lieux découvre un superbe panorama sur les toits de la cité et la ravissante baie de Rovinj.

Pour les amateurs de détente, le centre de soins thermaux propose un sauna, un hammam, un jacuzzi, des cabines à UV et un salon de massage. Enfin, il faut mentionner le jardin de l'hôtel et sa

EN BREF

CHAMBRES	24 chambres
RESTAURATION	Restaurant Angelo d'Oro : internationale
BOISSON	bar du jardin • cellier
SERVICES	soins thermaux • parking privé • emplacements de bateau
ENVIRONS	Rovinj • archipel de Rovinj • criques
CONTACT	Via Svalba 38-42, 52210 Rovinj • téléphone : +385 52 840 502 • fax : +385 52 840 112 • email : hotel.angelo@vip.hr • site internet : www.angelodoro.hr

PHOTOGRAPHIES REPRODUITES AVEC L'AIMABLE AUTORISATION DE L'HÔTEL VILLA ANGELO D'ORO.

Villa Bale

D'une façon générale, il est préférable de consulter un spécialiste avant de louer ou d'acheter un produit pour la première fois, et cela vaut aussi pour les locations de vacances. En effet, un spécialiste peut étudier les demeures à louer proposées, et choisir celle qui sera la plus adaptée aux souhaits de chacun. De plus, il connaît les façons de travailler des pays visités, ce qui évite les erreurs et les quiproquos embarrassants. Ayant collaboré avec les propriétaires par le passé, il réduit les risques de problèmes de dernière minute. Bref, un spécialiste augmente les chances de passer des vacances réussies.

À cet égard, ceux qui recherchent une demeure de villégiature auraient tout à gagner en s'adressant à la Villa Book, une agence créée par les professionnels les plus compétents du métier. Avec plus de 25 ans d'expérience, ils peuvent se targuer d'avoir noué des liens solides avec les propriétaires et les agents de tourisme locaux. Ainsi, ils savent parfaitement comment répondre aux préférences de leurs clients, qu'il s'agisse de la taille et du style de la propriété à louer, de son emplacement ou des services qu'elle propose, depuis le baby-sitting jusqu'à l'affrètement d'un yacht.

La Villa Book recense des centaines de demeures réparties sur trois continents, mais leur offre est particulièrement affinée, méticuleuse et alléchante dans les régions méditerranéenne et adriatique.

DE HAUT EN BAS : vue sur la campagne environnante depuis la Villa Bale ; la pergola recouverte de vignes abrite la salle à manger extérieure du bâtiment principal.

PAGE DE DROITE (DE GAUCHE À DROITE) : l'intérieur a conservé ses poutres, son carrelage et ses cheminées d'origine ; les chambres favorisent les tons chauds ; mille et un objets viennent parfaire la décoration.

Ainsi, en Croatie, grande destination touristique, l'une des plus belles demeures à son catalogue est la Villa Bale, située dans une campagne tranquille, dans les terres de la belle presqu'île d'Istrie.

Sise sur un terrain privé ceint de bois, de champs et de vignes, la Villa Bale comprend une ferme et ses dépendances en vieilles pierres. Brillamment restaurés ces dernières années, les bâtiments offrent tout le confort moderne sans avoir rien perdu de leur charme ancien unique.

Les jardins sont composés d'une vaste pelouse parsemée de vieux arbres. La demeure compte deux piscines, une intérieure, une extérieure, pour parer à tous les temps, un sauna et une salle de gymnastique bien équipée. Les quatre chambres doubles et les grandes salles de réception ont conservé de nombreux traits anciens, tels les poutres au plafond, les sols et de grandes cheminées. Enfin, des vélos sont mis à la disposition de ceux qui voudraient explorer la campagne alentour.

EN BREF

CHAMBRES	4 chambres doubles
RESTAURATION	cuisinier sur place
BOISSON	vin de bienvenue • machine à expresso
SERVICES	piscine intérieure • piscine extérieure • sauna • salle de gymnastique • vélos
ENVIRONS	Betiga • Rovinj • Pula • mer Adriatique
CONTACT	12 Venetian House, 47 Warrington Crescent, Londres W9 1EJ • téléphone : +44 845 500 2000 • fax : +44 845 500 2001 • email : info@thevillabook.com • site internet : www.thevillabook.com

PHOTOGRAPHIES REPRODUITES AVEC L'AIMABLE AUTORISATION DE LA VILLA BOOK.

Stancija Negricani

La presqu'île d'Istrie, en Croatie occidentale, est une terre verdoyante flanquée contre les eaux bleutées de l'Adriatique. En son sein paisible se niche un gîte parfaitement restauré, le Stancija Negricani. Logé à 6 km au nord de Vodnjan, cet hôtel est à courte distance des sites historiques et culturels de la ville médiévale. Par ailleurs, Stancija Negricani offre une excellente base de départ pour sillonner la campagne traditionnelle croate et cette région si pittoresque.

Grâce à la famille Modrusan, on se sent dans cet hôtel comme chez soi. Les très affables Mario-Jumbo et Mirjana encouragent par exemple les raids nocturnes dans la cuisine. Cependant, avec les généreuses rations de mets traditionnels de la région servies trois fois par jour – avec du pain maison – il y a peu de chance que les ventres gargouillent entre les repas.

Les clients profitent ici de la campagne croate dans les meilleures conditions. Ouvertes à toutes les senteurs transportées par la brise depuis le jardin d'herbes, les terrasses fleuries de l'hôtel constituent un poste d'observation incomparable.

Les chambres sont baptisées d'après les plantes aromatiques et médicinales qui poussent dans le jardin, comme Divlja Ruza (rose sauvage) ou Vinova loza (vigne). La décoration privilégie un air désuet de bon goût, où une attention de tous les instants a été donnée aux détails et à l'artisanat. Les lits en bois ont des cadres robustes sculptés à la main, les armoires anciennes sont

DE HAUT EN BAS : la ferme de Stancija Negricani a été superbement restaurée en hôtel, et a conservé son caractère et son style d'origine ; la vieille ferme et ses terrains impeccables charment les voyageurs les plus blasés.

PAGE DE DROITE (DE GAUCHE À DROITE) : les pierres à nu contribuent à la beauté de l'hôtel ; les fleurs laissent présager l'atmosphère chaleureuse qui règne à l'intérieur ; une table garnie de mets forts tentants à déguster au soleil.

toutes artisanales, et les plafonniers sont délicatement ornementés.

La rénovation de la demeure n'a fait qu'ajouter à ses qualités architecturales. Les vieilles poutres ont été délibérément dénudées, et des volets de bois sombre encadrent les fenêtres. Les murs donnent envie de toucher les vieilles pierres qui les composent et chaque chambranle, unique, dévoile un travail de menuiserie original d'avant l'ère du préfabriqué.

Les espaces extérieurs de l'hôtel sont également un émerveillement pour tous les sens, prolongé par les vues aériennes sur la campagne de Fazana et l'archipel de Brijuni. Les visiteurs de la région n'ont pas d'autre choix que de séjourner au Stancija Negricani, pour l'hospitalité de ses hôtes, l'histoire gravée dans tous ses murs,... et pour tous les délices qu'offrent les lieux. La Croatie authentique telle qu'elle fut et est restée, à portée de main...

EN BREF

CHAMBRES	9 chambres
RESTAURATION	cuisines traditionnelle maison (pension complète)
SERVICES	télévision câblée • connexion internet • location d'ordinateurs portables • équitation • randonnée • cyclisme • piscine extérieure • terrain de volley-ball •
ENVIRONS	aéroport de Pula • Vodnjan • plage de Fazana
CONTACT	Stancija Negricani farmhouse, 52206 Marcana, Stancija Negricani bb • téléphone : +385 52 391 084 • fax : +385 52 580 840 • email : konoba-jumbo@pu.t-com.hr • site internet : www.stancijanegricani.com

PHOTOGRAPHIES REPRODUITES AVEC L'AIMABLE AUTORISATION DU STANCIJA NEGRICANI.

Valsabbion

Le livre d'or de cet hôtel-restaurant est truffé des noms des célébrités qu'il a accueillies, parmi lesquelles le chanteur Sting, le comédien Jeremy Irons, le crooner latin Julio Iglesias et la top-model Naomi Campbell.

Ce petit hôtel familial de charme aux allures de club privé domine une baie parfaitement abritée et constitue un point de chute idéal pour explorer les rivages méditerranéens et les collines verdoyantes de la magnifique région d'Istrie.

Le restaurant gastronomique du Valsabbion a plusieurs fois décroché la palme de la meilleure table d'Istrie. En 2005 et 2006, il a également été sacré meilleur restaurant de Croatie par le GaultMillau. La cuisine de la mer et les plats maison à base de truffes blanches sont réinventés jour après jour par un chef créatif. Le calme qui règne dans les lieux ne fait qu'ajouter à ses attraits, qui séduisent

immanquablement tous ceux qui savent reconnaître le plus que parfait. Dans la douceur embaumée du soir, la terrasse extérieure du restaurant s'apprécie d'autant plus avec, à la main, un verre bien frais de Malvazija fleuri (subtil vin blanc local).

Le savant mélange de modernité glamour et d'intimité chaleureuse fera dire aux voyageurs les plus cosmopolites que l'endroit tient aisément la comparaison face aux grands lieux huppés de Londres, de New York ou de Paris.

Le Valsabbion dispose de 10 chambres et suites confortables et meublées avec goût, dont certaines avec balcon privatif donnant sur le port. La décoration moderne des pièces aux dimensions généreuses est faite de simplicité et d'esthétisme. Les matières

opulentes forment une riche palette tactile, les douillets canapés de cuir rouge faisant la conversation à des surfaces lustrées ornementées de décorations zen.

Le centre de soins esthétiques offre un menu presque aussi impressionnant que le restaurant. Au programme, entre autres : manucure, épilation, gommage de la peau,

aromathérapie et soins rajeunissants du visage. Des conseils en nutrition comportant des exercices physiques ainsi que des séances d'hypnose sont également proposés. Cataplasmes, relaxation à l'huile tiède et massages au chocolat sont des spécialités de la maison, et pour ceux qui désireraient un soin du corps plus poussé, les professionnels du centre sont là pour promulguer avec art toute une série de produits cosmétiques.

La façade Art déco du Valsabbion est suffisamment proche de la côte pour que l'air marin circule dans l'hôtel aussi naturellement que les vagues se brisent sur la grève. La ville historique de Pula est située à quelques minutes à peine avec son amphithéâtre, ses musées et ses vestiges romains tendant les bras aux visiteurs.

L'unique véritable problème que rencontreront les clients sera de se défaire du sortilège enchanteur qu'exerce cet endroit.

CI-DESSUS : la piscine du Valsabbion, dans le centre de soins du dernier étage, plonge sur le port.

PAGE DE GAUCHE : le célèbre restaurant Valsabbion sert une cuisine de toute première qualité dans un cadre décontracté et élégant ; toutes les chambres de l'hôtel appellent à la plus grande détente ; aucun détail n'est laissé au hasard dans l'ameublement.

EN BREF

CHAMBRES	6 chambres doubles • 3 suites • 1 chambre familiale
RESTAURATION	restaurant Valsabbion : cuisine de la mer
BOISSON	carte des vins
SERVICES	télévision câblée • connexion internet sans fil • coffre-fort • centre de soins • hydrothérapie • massages • solarium • animaux domestiques bienvenus
AFFAIRES	centre de conférence • 7 salles de réunion • salle de danse • salon d'affaires
ENVIRONS	golf des îles Brijuni
CONTACT	Hôtel Valsabbion, Pjescana Uvala IX/26, 52100 Pula, Istrie • téléphone : +385 52 218 033 • fax : +385 52 383 333 • email : info@valsabbion.hr • site internet : www.valsabbion.hr

Restaurant Zigante

Le « restaurant Zigante et compagnie de la truffe » se distingue par une entrée singulière dans le Livre des records : en 1999, son directeur, Giancarlo Zigante, se baladait tranquillement dans les bois d'Istrie avec sa fidèle chienne Diana, quand il tomba sur une truffe de 1,31 kg, la plus grosse jamais répertoriée dans l'histoire. Fort de cette trouvaille, Zigante put agrandir son commerce de truffes, et il possède aujourd'hui cinq magasins en Istrie.

Giancarlo Zigante a fait son incroyable découverte près de Livade. Foyer de la première boutique de la compagnie, le village a assisté à l'ouverture, en 2002, du très apprécié restaurant Zigante, spécialisé dans les plats à base de truffes fraîches, préparés par Damir Modrušan, l'un des cinq meilleurs chefs du pays.

L'établissement a atteint le sommet de l'échelle gastronomique croate en à peine deux ans. Très bien classé par le GaultMillau, son excellence a également été récompensée, en 2005, par l'acquisition du titre convoité de « restaurant de l'année ». Au Zigante, les truffes se savourent toute

CI-DESSOUS : chaudement illuminé, le Zigante, à Livade, sert des plats traditionnels succulents à base de truffes.

PAGE DE DROITE : Zigante possède également cinq magasins en Istrie, où sont en vente les truffes, blanches et noires, et leurs produits dérivés.

l'année, les blanches, de septembre à janvier, les noires, de mai à novembre. Damir et son équipe adorent aussi créer des plats à base d'autres spécialités locales, tels les champignons ou les asperges.

La carte propose notamment l'époustouflante « symphonie de truffes ». Ce plat qui emprunte à l'histoire culinaire du pays est une création inspirée qui fait jouer tous les premiers rôles gastronomiques de la Croatie : polenta, asperges, langoustines et, bien sûr, truffes. Les autres mets les plus tentants sont le bouvillon aux tagliatelles, le carpaccio de poisson aux truffes, ou encore les exquis gnocchis alla nonna, farcis au chocolat et aux truffes. Pour les plus courageux, signalons, en dessert, le fromage de brebis au miel et aux truffes, ou la généreuse glace aux... omniprésentes truffes.

Avec un beau travail de la pierre et des poutres de bois qui entourent des tables savamment dressées, le restaurant, récemment agrandi, dispose de deux salles élégantes d'une capacité de 44 convives, ou de 74 pour les banquets. La terrasse abritée peut accueillir 60 personnes. L'établissement compte en outre une salle VIP pour les fêtes privées, ainsi qu'un enclos spécial pour les animaux de compagnie.

Les amateurs de vin découvriront avec plaisir que l'arôme piquant des truffes de Zigante est parfaitement exalté par un bon cru. L'émérite sommelier Emil Perdec est justement là pour conseiller les vins de la carte, qui comprend des Bordeaux, des nectars de Toscane et d'Australie et, bien sûr, des grands noms croates.

Vu leur extrême rareté, les truffes, blanches ou noires, font partie des produits les plus chers du monde au poids. Mais que l'on se détende : Zigante est un fervent avocat du mouvement « Slow Food », qui encourage vivement de savourer chaque bouchée. Pour un dîner croate inoubliable où les vedettes sont les « diamants blancs » et les « perles noires » de la gastronomie, comme on les appelle en haute cuisine, suivez donc votre flair, allez chez Zigante.

EN BREF

RESTAURATION	truffes • cuisine locale raffinée
SERVICES	2 salles intérieures • terrasse abritée • salle VIP • animaux domestiques bienvenus
CONTACT	Restaurant Zigante, Livade-Levade 7, 52427 Livade-Levade • téléphone : +385 52 664 302 • fax : +385 52 664 303 • email : restaurantzigante@livadetartufi.com • site internet : www.zigantetartufi.com

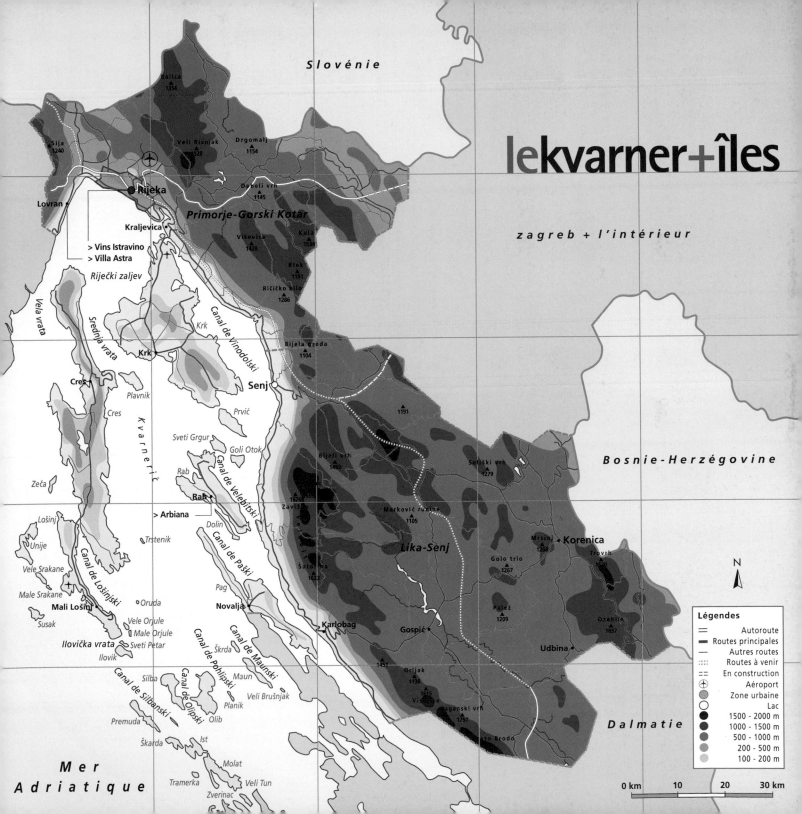

lekvarner+îles

Slovénie

zagreb + l'intérieur

Primorje-Gorski Kotar

Belica
1354

Veli Risnjak
1528

Drgomalj
1154

Šija
1240

Debeli vrh
1145

● **Rijeka**

Lovran

Kraljevica

> Vins Istravino
> Villa Astra

Riječki zaljev

Viševica
1428

Kula
1534

Klek
1181

Ričičko bilo
1286

Vela vrata

Srednja vrata

Krk

Canal de Vinodolski

Krk

Bijela greda
1104

Senj

1191

Cres

Plavnik

Prvić

Cres

Sveti Grgur

Goli Otok

Bijeli vrh
1492

Seliški vrh
1279

Bosnie-Herzégovine

Zeča

Rab

Rab

Zavižan
1105

Marković rudine
1105

Lošinj

> **Arbiana**

Dolin

Canal de Velebitski

1676

Mrsinj
1268

● **Korenica**

Lika-Senj

Unije

Trstenik

Golo trio
1267

Trovrh
1630

Vele Srakane

Šatorina
1623

Male Srakane

Canal de Paški

Pag

Palež
1209

Ozeblin
1657

Mali Lošinj

Susak

Vele Orjule

Novalja

Male Orjule

Oruda

Ilovička vrata

Sveti Petar

Karlobag

Gospić

Udbina

Ilovik

Canal de Maunski

Canal de Pohlipski

Canal de Škrda

Škrda

1451

N

Silba

Maun

Orljak
1138

Canal de Olipski

Olib

Planik

Veli Brušnjak

1615

Viševica

Premuda

Naganski vrh
1757

Légendes

Škarda

Ist

Molat

Sveto Brodo

Dalmatie

Mer Adriatique

Tramerka

Veli Tun

Zverinac

═	Autoroute
▬	Routes principales
—	Autres routes
┈	Routes à venir
═ ═	En construction
✈	Aéroport
●	Zone urbaine
○	Lac
■	1500 - 2000 m
■	1000 - 1500 m
■	500 - 1000 m
■	200 - 500 m
■	100 - 200 m

0 km   10   20   30 km

le kvarner, « les quatre coins du ciel »

Située au nord de l'Adriatique, là où la Méditerranée pénètre au plus profond dans le vieux continent, la région du Kvarner offre à l'Europe centrale un merveilleux balcon sur la mer. Kvarner, son nom d'origine latine est la contraction de *quarternarius* (quatre coins du ciel). La région où les quatre points cardinaux se croisent est une évocation particulièrement significative de la position géographique du Kvarner.

De la côte déchiquetée au Nord, entre mer et montagne, avec la station balnéaire d'Opatija, en passant par les nombreuses îles jusqu'aux sommets boisés du Gorski Kotar, le golfe du Kvarner est une région touristique riche et remarquablement diversifiée. Très appréciée au XIXᵉ siècle, elle offre les émotions les plus intenses.

Lovran, Opatija, Volosko… ces petits ports de pêche, ces villages et ces cités balnéaires s'inscrivent entre mer et collines. Pittoresques et populaires, ils ondulent paresseusement au soleil, le long du golfe aux eaux claires.

opatija, le passé recomposé

Au bord du golfe, la ville d'Opatija émerge avec ses anciens palaces et villas, splendeurs architecturales des années 1900 dans le style austro-hongrois dont Vienne raffolait à cette époque. Plâtres, stucs, pâtisseries rosissantes, rouge pompéien, ou jaune ocre, bordés de frises crémeuses, agrémentés de balcons, surmontés de guirlandes de roses ou d'aigles sculptés, les villas de style Biedermeier, les hôtels avec établissements de bains, se succèdent et rivalisent de grâces surannées.

Opatija était à Vienne et à Zagreb ce que Nice ou Monte-Carlo sont à Paris, une petite riviera sous un ciel pastellisé faite pour les plaisirs et les bains de mer. Tout a commencé au début du XXᵉ siècle.

PAGE 86 : depuis les hauteurs, d'une fenêtre à colonnades renaissances, la vue sur la pointe de la cité de Rab est extraordinaire.

PAGE DE GAUCHE : sur la longomare, la promenade du bord de mer qui relie Opatija à Lovran, une statue romantique en bronze rappelle les belles heures de la cité balnéaire.

CI-DESSUS : la splendeur azuréenne du golf du Kvarner n'a rien à envier à la riviera italienne.

Un modeste village de pêcheurs devient le lieu de villégiature préféré des têtes couronnées. Quelques maisons blotties autour de l'église Saint-Jacques, la mer d'un bleu intense et une température idyllique en hiver, jamais en dessous de 10 degrés : le rêve pour Iginio Scarpa, riche industriel de Rijeka. Il tombe amoureux du village, de sa quiétude et fait bâtir dans un vaste parc la villa Angiolina, du nom de son épouse. Pour la petite histoire, l'élégante dépendance juste à côté, la villa dite « de la Ballerine », est une folie construite pour une danseuse à la demande de l'empereur François-Joseph. Épouse et concubine se côtoient !

Comme à Saint-Tropez, la mode est lancée. Dans les années cinquante, le ban, représentant royal de la cour Croate, se rend avec son épouse à Opatija. Les courtisans suivent.

Dans les années 1850, les têtes couronnées venaient en ce lieu se rafraîchir : l'archiduc Ferdinand, l'impératrice Marie-Anne, le kaiser François-Joseph, Guillaume II... Les aristocrates russes, les Hohenzollern suivent dans la foulée. Les compositeurs Puccini et Malher, sans oublier James Joyce et Isadora Duncan, la danseuse, font partie de la coterie. Deux mondes se côtoient sans pourtant se mélanger, les pêcheurs d'un côté et l'aristocratie et les artistes de l'autre.

En 1910, s'élève, en front de mer, la façade typique de la Belle Époque de l'hôtel Kvarner, toujours en place aujourd'hui. Le palace avec sa terrasse surplombant les flots bleus était destiné à accueillir les aristocrates de l'empire austro-Hongrois et leurs amis. La salle de bal résonne encore des airs de valses viennoises. De cette magnificence et de ce luxe des soirées mondaines qui faisaient alors le régal des gazettes, il ne reste que des échos nostalgiques.

bains de beauté !

À la fin du XIXe siècle, villas privées et hôtels se construisent au fur et à mesure. Les cliniques, thermes et maisons de santé (nos anciennes thalasso) fleurissent. Comme à Baden-Baden ou à Marienbad, on venait « prendre les eaux à Opatija » si près de Vienne, un must absolu ! Il existait alors une ligne de chemin de fer qui, de Vienne à Rijeka, transportait l'aristocratie autrichienne en direct et en 6 à 8 heures.

Dans *Bains de mer*, publié à la fin des années cinquante, l'écrivain Paul Morand, infatigable voyageur, écrit de Abbazia (Opatija) « qu'elle a gardé un côté Brighton autrichien assez touchant ».

un microclimat

La tradition veut que, au coucher du soleil, on flâne sur les 12 km de la *Longomare* qui relient, en bord de mer, Volosko à Lovran en passant par Opatija. Aux heures chaudes, on se prélasse dans le parc à l'ombre des pins parasols et entre-temps, on fréquente les cafés viennois et on surveille ses horaires de cure.

Lauriers, figuiers, palmiers, cerisiers, châtaigniers, bambous, cyprès et roses odorantes, l'exubérance de la végétation laisse deviner l'excellence du climat.

C'est la conjonction de la Méditerranée et du continent qui confère à Opatija ce climat si particulier, stable et doux toute l'année. Un microclimat enrichi par la pureté de l'air venu du massif de l'Uekaen en arrière-plan, qui culmine à 1 400 mètres.

lovran, la corne d'abondance

Des fruits, des fleurs, des cerisiers, des châtaigniers, des asperges vertes, des champignons…, Lovran vous convie, selon les saisons, à un festival d'arômes fruités, de plantes et d'essences sauvages.

Il se dégage de cette petite station balnéaire, port et cité médiévale à l'ombre d'Opatija, un charme infini et discret. Elle possède aussi, le long de la mer, dans le vert des parcs, des villas des années 1900 parfaitement restaurées et mises au goût du jour dont le plus bel exemple est la villa Astra transformée en exquis petit hôtel.

Laurana (laurier), Lovran, fut la résidence de patriciens romains. Il faut entrer dans la cité médiévale, enroulée dans ses remparts, par l'ancienne poterne. À travers un lacis de ruelles, on débouche sur la place centrale entourée de maisons des XVIIe et XVIIIe siècles. Au-dessus du portail de l'église Saint-Georges, le saint patron y est représenté tuant le dragon.

le poisson en majesté

Volosko, un village de pêcheurs blotti au fond du port avec des maisons blanches aux façades décorées d'arcatures, a su conjuguer l'architecture populaire méditerranéenne à celle des riches demeures d'armateurs. Tout le long de la jetée, les restaurants rivalisent de séduction. Avec sa devise, « Vins honnêtes et poissons frais », le Plavi Podrum est considéré à juste titre comme un des meilleurs restaurants de Croatie, une institution. Tous les poissons sont à l'honneur sur leur carte : le rouget, la lotte, le saint-pierre, le bar pêchés dans les eaux claires. On sert également, dans les règles de l'art, la rascasse bouillie accompagnée de polenta aux algues et la soupe de poissons de roches.

CI-DESSOUS : la pêche côtière est une des activités principales de la côte du Kvarner.
PAGE DE DROITE : l'histoire de l'origine de l'île de Cres serait, selon la légende, liée à celle de la Toison d'or.

Les meilleurs homards viennent, dit-on, des îles du Kvarner. À l'île de Krk, calamars
et seiches abondent et les traditionnelles fritures des chalutiers sont parfumées
au romarin et à la feuille de laurier. On y fabrique aussi les délicieuses surlices
de baska (pâtes locales) qui accompagnent le goulasch d'agneau.

L'île de Cres est renommée pour la tendresse et la saveur de son agneau
des prés-salés. Dans la région du Gorski Kotar, on privilégie les cuisses de grenouilles
et le gibier en sauce avec morilles et girolles. Le tout étant arrosé d'un nectar de raisins
blancs de Susak, le Krizol blanc, ou d'un mousseux frais de Bakar.

Après dix minutes de traversée, on oublie l'agitation, la foule, les marchands de souvenirs...

le kvaner, côté îles

Sur l'île de Krk, un coup de cœur pour Kosljun, minuscule île monastère que l'on atteint du port de Punat, en bateau navette. Après dix minutes de traversée, on oublie l'agitation, la foule, les marchands de souvenirs pour se recueillir dans la paix d'un monacal îlot. Le monastère franciscain abrite une collection d'art sacré, 5 prêtres et 20 chambres qui peuvent accueillir une poignée de pèlerins en quête de spiritualité.

Krk et Losinj : une île, deux îles reliées par un isthme, mince ruban minéral qui s'étire le long de la côte sur 90 kilomètres. Leurs origines relèvent de la légende, celle des Argonautes. Au IIIe siècle av. J.-C., Jason et les Argonautes, fuyant les Colchidiens qui voulaient s'emparer de la Toison d'or, arrivèrent dans la région du Kvarner. Apsyrtos se lança à leur poursuite grâce à sa sœur, la perfide Médée, qui, éprise de Jason, conduisit son frère vers son amant. Mais Jason tua Apsyrtos. Médée s'empara de la dépouille du malheureux et la découpa en morceaux qu'elle jeta à la mer. Chaque lambeau par enchantement se transforma alors en îles, qui seraient à l'origine de l'archipel de Cres et Losinj.

Situé à la jonction des deux îles, sur l'axe maritime des envahisseurs, le village d'Osor fut occupé par les hommes de la préhistoire. Vinrent ensuite les Illyriens, les Grecs et les Romains qui le nommèrent Apsoros. L'histoire s'est inscrite à Osor par strates : sur le même site unique et sacré, sépultures païennes et mégalithes, puis fortifications et temples romains se sont édifiés à l'endroit même où se trouve la cathédrale du XVe siècle consacrée à Notre-Dame. Aujourd'hui, paisible et minuscule village au charme médiéviste, Osor, avec ses placettes envahies de rosiers, revit chaque été avec un festival de musique de grande qualité… Un lieu exquis et intemporel.

PAGE DE GAUCHE : îles ou continent ? Entre ciel et mer, on doute parfois ! Dans le golf du Kvarner, face à l'île de Cres, c'est bien le continent qui se dessine à l'horizon.

CI-DESSUS ET CI-DESSOUS : les galets tapissant le fond de la mer rendent l'eau très claire ; le soir, envahi par les bateaux de plaisance, le port de Mali Losinj ressemble à un mini Saint-Tropez.

le kvarner, côté terre

Derrière Opatjia, se dresse le mont Vojak. Il suffit de grimper sur les collines pour emprunter les nombreux sentiers qui conduisent, à travers châtaigniers et chênes liège, vers des trouées et des belvédères d'où l'on a une vue époustouflante sur le golfe.

le gorski kotar, le grand livre de la nature

En bordure de la frontière Slovène, la région montagneuse du Gorski Kotar longe la route qui relie Zagreb à Rijeka. Cathédrales de pierre, canyons, lacs sombres, forêts de sapins, hauteurs grisantes et sous-sol aux profondeurs vertigineuses, ici l'extrême se fait le quotidien du décor. La région du Goranska est le sanctuaire du monde végétal et animal. C'est le royaume de l'ours brun, mais aussi celui de la pêche à la truite et du ski. Les stations comme le centre de Rudnik, de Delnice, ainsi que le centre olympique de Bjelolasika avec son sommet qui culmine à 1 534 mètres, sont très prisées en hiver.

le massif du velebit, réserve mondiale de la biosphère

Face aux îles de Pag et de Rab, le Velebit se dresse face à la mer. Côté littoral, la masse minérale est semblable à de hautes dunes de sable se reflétant dans la mer, de l'autre côté, elle est recouverte d'une forêt à perte de vue – le contraste est saisissant ! Quasiment sauvage, parsemé de rares hameaux, le Velebit est réservé aux amoureux de la nature et aux bergers. C'est le plus vaste territoire, protégé sur ses 150 km de longueur, classé au patrimoine mondial de l'Unesco.

au pays de la pierre et de l'eau

Le karst, un relief calcaire à la pierre
de couleur claire érodé par l'eau, est récurrent
dans la région du Kvarner. De cette pierre
brute, on fait encore les muretins (gromace)
de Veli Mrgav et Baska, où, comme
un tableau abstrait gris sur vert, ils délimitent
propriétés et pâturages. On fabrique
aussi les pierres taillées avec lesquelles
on bâtit les maisons de village
et le pavage des ruelles ainsi que les pierres
sculptées, dont sont faites les statues et colonnes antiques qui, une fois exhumées,
reprennent vie au soleil.

« Passage du Diable », « Tourbillon vert », les
roches creusées des cavernes de Vrela, Gorski Kotar,
Lokvarka gardent encore leurs mystères au plus profond
de la terre ; celles, légères et pâles comme un mirage,
des hautes falaises du Velebit plongeant dans la mer ;
la poudre de roches broyées par l'érosion des grains
de sable recouvrant les plages de l'île de Rab à Lopar
ou celle de l'île de Suzak : toutes de karst !

les eaux vives

Les eaux froides et limpides des montagnes traversent
des kilomètres de karst et viennent se mêler au sel
de la Méditerranée.

Les sources en abondance se font cependant
capricieuses. Elles sont nombreuses sur l'île de Rab,

*PAGE DE GAUCHE : dans un décor
minéral, les falaises de karst
aux parois abruptes sont des
murs d'escalades parfaits pour
les grimpeurs !*

*CETTE PAGE (DE HAUT EN BAS) : la
région du Goranska, avec son
centre olympique, est en hiver
le royaume du ski et du snow-
board, et celui de la pêche et
de la randonnée en été ;
dans les montagnes boisées du
Gorski Kotar, on peut, avec un
peu de chance, apercevoir
l'ours brun. Une espèce
heureusement protégée.*

plus de 300, mais se montrent rares, voire parcimonieuses, sur d'autres et désespérément absentes sur la petite île de Susak.

Curiosité naturelle, le lac Vransko, sur l'île de Cres, est une étendue d'eau douce au milieu d'une mer salée. Ce miracle géologique est un merveilleux réservoir qui alimente en eau potable les îles de Cres et de Losinj.

La ville de Rijeka, signifiant rivière, est parcourue par d'innombrables réseaux souterrains et d'insoupçonnables ruisseaux. Les armoiries de la ville, un aigle bicéphale, trônent sur un vase d'où le liquide s'écoule en abondance.

vous avez dit glagolitique ?

Un étrange alphabet, gravé dans la pierre, fut conçu il y a plus d'un millénaire par les frères Cyrille et Méthode dans le seul but de christianiser un peuple slave et de surcroît païen. Le verbe « parler », *glagolyati*, donna son nom à ce curieux alphabet qui s'écrit, se lit, mais ne se parle pas, à l'exception de quelques moines érudits !

Une sorte d'évangile, que les prêtres, comme les apôtres, se chargèrent d'inculquer à leurs ouailles, le latin perdant alors son influence. La Croatie gagna en identité ce qu'elle perdit en latin et s'alphabétisa peu à peu. Tous les documents de valeurs qui témoignent de cette alphabétisation s'écrivirent en glagolitique du XIe au XVe siècle.

Ces inscriptions lapidaires sont nombreuses et uniques dans la région du Kvarner. On peut découvrir en se promenant de nombreux et émouvants vestiges de ces textes en caractères curvilignes inscrits sur des blocs de pierres moussues, en particulier sur l'île de Krk, au village de Vrbnik, mais aussi aux îles de Cres, de Losinj et de Rab.

Le plus important témoignage, la stèle de Baska, gravée dans les années 1100, est incorporée dans le sol de l'église de Sainte-Lucie. Un des panneaux se trouve conservé à Zagreb à l'Académie nationale des sciences et des arts. Une exposition permanente à la bibliothèque de Rijeka est consacrée à la culture glagolitique.

Curiosité naturelle..., miracle géologique...

Villa Astra

Au faîte de sa puissance, l'empire austro-hongrois englobait dix-huit pays et contrôlait la grande majorité de l'Europe centrale, des Alpes à l'ouest, à l'Ukraine à l'est. Avec un tel territoire à sa disposition, l'élite dirigeante pouvait se montrer exigeante dans le choix de ses destinations de vacances, dont elle a bien souvent fait des lieux de villégiature encore fort réputés aujourd'hui.

L'une de ses destinations préférées était la petite ville portuaire de Lovran, près de la station balnéaire d'Opatija, sur la superbe côte croate.

Ceux qui connaissent déjà cet endroit n'en seront guère surpris. Ce site exceptionnel offre tout ce que l'on peut rêver. Il allie une histoire maritime riche et romanesque, une architecture médiévale très bien préservée et une magnifique nature cajolée par un délicieux climat méditerranéen annuel – sans parler d'une tradition d'excellence culinaire et d'une position géographique idéale. Dernier point mais non des moindres, Lovran bénéficie de sources thermales de grande qualité, dont les vertus médicinales sont réputées dans toute la région. C'est du reste l'un des premiers facteurs qui contribua à l'essor de la ville sous l'empire.

Ce précieux alliage né du hasard ne pouvait échapper à l'attention de Lovranske

Vile, une agence croate spécialisée dans les villas et les hôtels qui marient un héritage naturel et culturel avec un personnel chaleureux et un confort de premier ordre. Créée en 1996 à la faveur de la réouverture du pays au tourisme, l'agence a déniché des demeures qui, grâce à des investissements et à une restauration minutieuse, ont pu retrouver toute leur gloire d'antan et bénéficier de toutes les installations modernes.

DE GAUCHE À DROITE : l'hôtel a été construit en 1905 dans le style néo-gothique vénitien ; la façade et les fenêtres de la villa ont conservé leurs riches ornements ; les salles de bains témoignent du meilleur goût.

PAGE DE DROITE (DE GAUCHE À DROITE) : la salle hongroise du restaurant Villa Astra ; la chambre Josip décline de chaleureux tons de vert.

Une décennie plus tard, l'un de ces lieux rendus à la vie est l'hôtel Villa Astra. Édifié en 1905 dans un style néo-gothique vénitien et floral, ce superbe établissement de luxe qui fait face à la mer contient six chambres doubles, disponibles pour les courts comme pour les longs séjours.

Une délicieuse piscine extérieure orne un jardin dont l'agencement est une œuvre d'art en soi. Un centre de remise en forme propose une panoplie complète de massages relaxants et autres soins du corps, qui incluent réflexologie et savoir-faire venu de l'Inde, de l'île de Guam et de Bali.

Mais l'hôtel Villa Astra est peut-être plus surprenant encore grâce à son restaurant de haute gastronomie méditerranéenne qui peut prétendre rivaliser avec les plus grands chefs internationaux et qui conserve l'une des meilleures caves de la région. Les spécialités maison sont concoctées à base de cerises, de châtaignes et d'asperges sauvages fraîches, ainsi que de fruits de mer du jour, le tout préparé dans le plus grand respect de la tradition et des saisons.

Aussi tentant que cela puisse être, les clients de la Villa Astra auraient tort de ne pas s'arracher à sa beauté et à son confort envoûtants. Après tout, la ville toute proche et la campagne environnante contribuent à la féerie du lieu. Sans un minimum de curiosité pour l'exploration, le séjour ne serait sans doute pas complet.

EN BREF

CHAMBRES	6 chambres doubles
RESTAURATION	restaurant Villa Astra : méditerranéenne
BOISSON	bar
SERVICES	piscine extérieure • centre de remise en forme
AFFAIRES	salle de réunion
ENVIRONS	Lovran
CONTACT	V.C. Emina 11, 51415 Lovran • téléphone : +385 51 294 400 • fax : +385 51 294 600 • email : villa.astra@lovranske-vile.com • site internet : www.lovranske-vile.com

PHOTOGRAPHIES REPRODUITES AVEC L'AIMABLE AUTORISATION DE LA VILLA ASTRA.

Arbiana

La petite île de Rab, au nord de la côte croate, est l'une des destinations privilégiées de la haute société européenne depuis plus d'un siècle.

Sa popularité n'a cependant pas altéré la beauté naturelle qui en a fait un endroit si convoité à l'origine. Et quand on sait que l'île jouit d'un des climats les plus cléments d'Europe, qu'elle possède des eaux parmi les plus claires du continent et des plages parmi les plus belles, et que, de surcroît, elle revendique un héritage à la fois romain, byzantin, vénitien et austro-hongrois, il semble évident que cette popularité n'est pas près de se démentir.

Il n'y a jamais eu qu'un seul hôtel où séjourner dans ce haut lieu des riches et célèbres : l'Arbiana, dans la petite ville fortifiée médiévale de Rab.

Trônant en bord de mer, l'établissement ouvrit ses portes en 1924 sous le nom d'hôtel Bristol, et il acquit rapidement une réputation d'élégance et d'excellence qui n'a pas faibli depuis.

L'Arbiana comporte 28 chambres, dont 4 suites et une suite présidentielle, toutes refaites à neuf récemment et décorées selon les plus grands critères du luxe et du confort. Climatisation, télévision câblée et connexion internet sans fil sont la norme.

Les balcons privatifs offrent des vues époustouflantes, les uns sur les eaux

émeraude de l'Adriatique, les autres sur la vieille ville, sa cathédrale du XIIIᵉ siècle, ses quatre clochers imposants et son architecture romane.

Fidèle au raffinement de l'établissement, le restaurant San Marino sert une cuisine gastronomique régionale, méditerranéenne et internationale, en invitant au plaisir de la bonne chère avec des produits locaux

DE GAUCHE À DROITE : la ville ; le ciel bleu est presque toujours au rendez-vous ; la douceur des tons aquarelle se retrouve dans la décoration de tout l'hôtel.

PAGE DE DROITE : un luxe paisible se niche dans le moindre détail des chambres.

biologiques d'une extrême fraîcheur. La carte des vins, très complète, comble tous les goûts, et le Bristol Bar ainsi qu'un bar-lounge offrent des cadres idylliques pour l'apéritif ou le digestif. Les organisateurs de séminaires, de réunions professionnelles ou festives ne seront pas en reste, grâce à la vaste salle de réception qui peut accueillir jusqu'à 60 convives.

Les enchantements offerts par l'Arbiana ne doivent pourtant pas empêcher la visite de la ville de Rab, riche en musées, en sites narrant plus de 2 000 ans d'histoire, et en nombreux festivals culturels.

La nature aux allures méditerranéennes environnante est un autre point fort pour tous ceux qui aiment la randonnée à pieds ou à vélo, la nage, les excursions en bateau, la plongée et le snorkelling, ainsi que de très nombreuses activités de plein air sur terre comme sur mer.

Ce n'est décidément pas un hasard si, dans la région, l'île est surnommée « la perle de l'Adriatique ».

EN BREF		
CHAMBRES	23 chambres • 4 suites • 1 suite présidentielle	
RESTAURATION	San Marino : cuisine internationale raffinée	
BOISSON	Bristol Bar • bar-lounge	
SERVICES	accès aux personnes à mobilité réduite	
AFFAIRES	salle de réception	
ENVIRONS	les quatre clochers de Rab • église « de la sainte croix éplorée » • église Saint-Christophe • galeries d'art • Vox Disco • club San Antonio • Beach Club Santos • parc Komrcan • parc national de Velebit	
CONTACT	Obala Petra Kresimira 12, 51280 Rab • téléphone : +385 51 775 900 • fax : +385 51 775 991 • email : sales@arbianahotel.com • site internet : www.arbianahotel.com	

Vins Istravino

Les vins de Bourgogne, de Bordeaux, d'Afrique du Sud ou de Californie sont réputés dans le monde entier depuis fort longtemps. Nouveaux venus sur la scène viticole, les vins de Croatie commencent à pénétrer dans le club estimé des bons crus, et les maisons telles qu'Istravino participent activement à cette notable évolution.

Installé à Rijeka, Istravino est l'un des plus anciens exploitants viticoles du pays. Cette merveilleuse région, où l'art de la viticulture est ancré depuis l'Antiquité, est aujourd'hui plus accessible que jamais grâce aux nombreux vols qui la desservent.

Les excellents vins d'Istravino, distribués dans toute la Croatie, incarnent le savoir-faire des talentueux vignerons croates. Nectars variés à l'origine contrôlée, ils déclinent des vins de dessert, des mousseux et des vins aromatiques, sans oublier une large gamme de spiritueux et de liqueurs.

Depuis quelque temps, tous ces crus passent également les frontières croates, car environ 30 % de la production de la maison Istravino est aujourd'hui destinée à l'exportation sur un marché mondial de plus en plus demandeur.

Les vins croates ont un caractère bien à eux. Et si leurs cépages ne sont pas aussi réputés ou omniprésents que le Cabernet, le Merlot ou le Sauvignon, leur relative rareté associée à leurs saveurs tout à fait uniques les rendent d'autant plus séduisants.

Cas d'exemple, le cépage Plavac Mali. Il donne notamment le vin voluptueux et fruité Postup, cultivé sur les pentes en terrasse abruptes qui font face à la mer du village éponyme. Le monde œnologique a récemment comparé le Plavac Mali au cépage californien Zinfandel. De fait, le haut degré d'ensoleillement, la lumière réfléchie par la mer et la terre poreuse propre à la région, font de Postup

DE GAUCHE À DROITE : Ston, dans le sud de la Dalmatie, où Istravino possède l'un de ses plus précieux vignobles ; le généreux Postup rouge ; la terre revêche des vignes de Ston donne 30 000 bouteilles annuelles d'un vin exceptionnellement fruité.

PAGE DE DROITE : les terrasses d'Istravino sont soigneusement cultivées, pour extraire le meilleur de chaque vigne.

l'environnement idéal pour cultiver ce vin exceptionnel. Ce noble nectar rouge grenat est issu en partie d'un raisin blet et séché. Son bouquet exhale les fruits rouges bien mûrs, et il se révèle plein et harmonieux au palais. Il constitue l'initiation parfaite aux rouges croates.

Plus sec, le Plavac Mili est également tiré du cépage Plavac Mali. Cultivé sur les côtes venteuses des régions de Mili et de Vino, sur la péninsule de Pelješac, son goût le distingue des vins de la même variété. D'une robe rouge rubis, le Plavac Mili délivre un bouquet odorant et charpenté aux nets accents de myrtilles ou de cassis, et s'avère plein et généreux au palais.

Mariés aux viandes séchées et aux fromages locaux, ces vins décuplent les saveurs de la Croatie. Visiter l'un des vignobles qu'Istravino possède en Istrie ou en Dalmatie ouvre une porte sur les vins du pays, pour une expérience forte en saveurs et en authenticité.

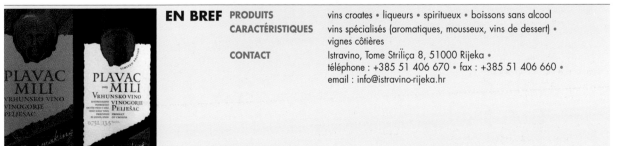

EN BREF **PRODUITS CARACTÉRISTIQUES** vins croates • liqueurs • spiritueux • boissons sans alcool vins spécialisés (aromatiques, mousseux, vins de dessert) • vignes côtières

CONTACT Istravino, Tome Striliça 8, 51000 Rijeka • téléphone : +385 51 406 670 • fax : +385 51 406 660 • email : info@istravino-rijeka.hr

PHOTOGRAPHIES REPRODUITES AVEC L'AIMABLE AUTORISATION DES VIGNOBLES ISTRAVINO.

dalmatie

Le Kvarner + Îles

Bosnie-Herzégovine

Pag
Olib
Silba
Permuda
Molat

Zadar

Gračac
Kučinakosa
1445

Obrovac
Kom
1003
Orlovac
Dinara
1201
1530

Jurišinka
674

Zadar
Preko
Knin

Ugljan

Benkovac

Dugi Otok
Ist
Pašman

Biograd
na Moru

V. Promina
1147
Bat
1205
1509

Šibenik-Knin

Murter
Vodice
Drniš
Svilaja
1508

Kornat
Žirje
V. Glave
542
Sinj
Trilj
1265

Šibenik
890
Veliki Kabal

510
Kozjak
779
1339

Trogir
Split
Split-Dalmatie
Imotski

Omiš

Šolta
Supetar
Brač
Mljetnjak
1619
Makarska
Kimet
1702

Sumartin
1536
1314
897

Canal de Hvarski

Ilotak
Hvar
Rilit
863
Sućuraj
Ploče
Metković

Šćedro

Canal de Korčulanski
Orebić

Vis
Vela Luka
Korčula

Vis
Peljašac
Šipan
Dubrovnik

Korčula

Canal de Lastovski
Mljet
Lopud

Lastovo

Dubrovnik-Neretva

Mer
Adriatique

> Vestibul Palace
> Le Méridien Lav Split

> Hôtel Sv Mihovil
> Sipan
> Glavovic

> Hilton Imperial Dubrovnik
> Bellevue
> Dubrovnik Palace
> Excelsior
> Pucic Palace
> Villa Dubrovnik
> Dubrovnik House Gallery
> Bijouterie Ðardin
> Nautika

> Adriana, hvar marina hotel et spa
> Riva, hvar yacht harbor hotel

> Palmizana Meneghello

Légendes

=	Autoroute
—	Routes principales
—	Autres routes
::::	Routes à venir
==	En construction
⊕	Aéroport
●	Zone urbaine
○	Lac
●	1500 - 2000 m
●	1000 - 1500 m
●	500 - 1000 m
●	200 - 500 m
●	100 - 200 m

N

0 km 20 40 60 km

la magie de la dalmatie

La Dalmatie est un territoire qui se glisse entre l'Adriatique et la chaîne des Alpes Dinariques ligne de frontière avec la Bosnie-Herzégovine. De Zadar à Dubrovnik, du Nord au Sud, la Dalmatie s'étire sur près de 400 kilomètres jusqu'à ne plus être qu'un mince ruban s'achevant, sur 25 km, à la frontière du Monténégro. Tout le long du littoral, ce ne sont que cités antiques, musées à ciel ouvert classés au patrimoine de l'Unesco, ports et villages de pêcheurs. Une côte dalmate qui s'accompagne, au large, d'une myriade d'îles qui sont autant de merveilleuses escales.

Une région vouée à la mer où, parfois, la couleur du ciel et de l'eau se mêle et se confond dans une orgie de bleus, juste ponctuée par le blanc des voiliers.

au hasard de zadar

À Zadar, l'art et l'histoire se sont donné rendez-vous. Sur une étroite péninsule, on pénètre dans la ville close de murailles par la porte des Terres-Fermes, trois arches surmontées du lion ailé vénitien, emblème de la cité des Doges et de Saint-Chrysogone le protecteur de la ville.

« Dans la soirée à Zara (Zadar), nous sommes descendus visiter la cathédrale Sainte-Anasthasie », Ernst Jünger, *Voyage Atlantique*. Au coucher du soleil, sa façade à arcatures, typique du style roman tardif, émerge légère et dorée sous un ciel orangé.

La cathédrale fait partie d'un ensemble de monuments qui, au fil des siècles, ont occupé l'espace de l'ancien Forum romain. À la place et en lieu des temples et des divinités païennes, la cathédrale du XIIIe siècle côtoie la masse circulaire de l'église Saint-Donat du début de l'art roman (IXe siècle), un mélange d'architectures carolingienne et byzantine. En retrait, l'église Sainte-Marie affiche ses origines Renaissance malgré un intérieur rococo. Un espace unique pour une lecture historique à plusieurs niveaux, ponctué de moignons de colonnes, de dalles, de sarcophages sculptés, de vestiges d'un temple qui jonchent le sol et qui nous ramènent aux origines de Zara.

PAGE 109 : la Dalmatie, 400 km de côtes sur l'Adriatique.

PAGE DE GAUCHE : Hvar se dessine sur le bleu de la mer.

CETTE PAGE : une minuscule crique ; sur la place de Zadar, la cathédrale, l'église Saint-Donat et les vestiges romains.

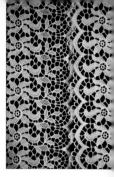

C'est là aussi, que la jeunesse estudiantine de Zadar se donne rendez-vous. Adossée contre un mur, qui a dû voir passer les légions romaines, elle fait des projets d'avenir à l'ombre du passé. Les étals des marchands et des brodeuses exposent des châles et des nappes aux couleurs bariolées sur le pavé millénaire.

l'île de gag, de la dentelle

La minéralité de l'île, les murets de pierre qui dessinent des frises sur un sol arasé par les vents, le sel qui se figent en cristaux étoilés sur la roche auraient-ils inspiré les femmes de Pag ? Leurs dentelles en ont l'immatérielle beauté. Il y a osmose entre cette terre et le savoir faire des dentellières. Les dames de la cour d'Autriche en raffolaient déjà et la dentelle apportait une touche de luxueuse frivolité dans l'austérité austro-hongroise. En Croatie, il était de bon ton, dans les grandes maisons bourgeoises, d'avoir sa dentellière à demeure. Ces ouvrages précieux et chers sont encore réalisés par quelques vieilles femmes dans l'île. Mais il s'agit de chefs-d'œuvre en péril, de plus en plus remplacés par des travaux au crochet avec des fils synthétiques, sans finesse, pour satisfaire à la demande des touristes de passage.

CETTE PAGE : les femmes de la région de Pag viennent à Zadar pour vendre leurs ouvrages, châles et nappes exécutés au crochet.

PAGE DE DROITE : vue panoramique de la ville de Sibenik. Un bel exemple de l'architecture urbaine croate avec ces maisons en pierre blonde aux toits de tuiles rouges.

sibenik, le charme discret de la bourgeoisie

Elémir Bourges, dans *Les Oiseaux s'envolent et les fleurs tombent*, lui trouve un air d'Antiquité : « ce ne sont que ruelles, escaliers, couloirs de maisons étroites et tordues, fenêtres grillées, partout des guenilles multicolores, et les portes bardées de ferrures avec des heurtoirs ciselés ».

Un air d'Antiquité certes, le charme fou de l'ancien, mais sans romanité ! Fondée au VIIe siècle par les Croates, sur une butte en surplomb de la mer, Sibenik se revendique d'origine médiévale, une rareté ! Elle fut, bien sûr, suivant les flux et les reflux des envahisseurs, ballottée entre les Ottomans, les Vénitiens, les Hongrois, les Français

« *Ce ne sont que ruelles, escaliers, couloirs de maisons étroites et tordues, fenêtres grillées...* »

CI-DESSUS : *la cathédrale de Sibenik, œuvre de Georges le Dalmate et de Nicolas le Florentin, est inscrite au patrimoine mondial de l'Unesco.*

PAGE DE DROITE (DE HAUT EN BAS) : *un chien dalmatien admire les figures sculptées le long du chevet de la cathédrale ; escale obligatoire à Primosten.*

et les Autrichiens. Malgré les bombardements de la Seconde Guerre mondiale, la vieille ville a survécu. L'émotion esthétique opère toujours. C'est un bonheur de se promener au hasard des ruelles et venelles qui se succèdent en espaliers, de découvrir, là l'élégante façade d'une demeure patricienne, ailleurs le jardin secret d'un prieuré, de se poser dans un café installé à l'angle d'une chapelle. La lueur des réverbères effleurant la pierre met en valeur de délicats détails moyenâgeux : un blason au fronton d'un portail, un abreuvoir pour chien au pied d'une rigole, un étalonnage de tisserand marqué à l'angle d'un mur.

Des églises majeures et des couvents... À Sibenik, l'art est au service du religieux. Marquée par la période transitoire gothique renaissance, la ville s'est dotée, au XVe siècle, d'un remarquable témoignage de sa foi. Bâtie par deux architectes sculpteurs croates, le génial Georges le Dalmate et son disciple Nicolas le Florentin, la cathédrale Saint-Jacques est inscrite depuis l'an 2000 au patrimoine de l'Unesco.

Rosace ciselée, portail délicatement sculpté dans un ensemble architectonique qui obéit encore aux règles classiques : le Dalmate réalise la symbiose de la période charnière, où le gothique tardif se mêle à la toute jeune Renaissance italienne, et initie ainsi la Renaissance adriatique. La technique utilisée pour la construction de la structure du dôme – sans joint entre les pierres, un miracle d'équilibre – reste encore un mystère aujourd'hui. Exercice de style sur le thème profane, Georges le Dalmate s'est amusé à croquer sur le vif le petit peuple et la bourgeoisie de son époque. À l'extérieur, le long du chevet, s'alignent les portraits de 72 personnages dont les visages qui nous regardent intensément sont d'un réalisme saisissant. Parmi les plus remarquables, ceux du mari, de la femme et de la maîtresse illustrent les thèmes éternels de la séduction et du mensonge.

une escale, des escales

À quelques coups de rame, ou à bord de la navette qui part de Bordarica près de Sibenik, on se retrouve sur l'île de Krapanj, l'île

aux éponges. Totalement plate et paisible,
elle possède de belles plages et des spots
de plongée réputés. On peut aussi visiter
le monastère franciscain qui abrite une
collection d'art sacré, et acheter des éponges
naturelles, les plus belles dit-on, en s'adressant
au presbytère.

la presqu'île de primos

Ten, avec le petit port, les cafés, les restaurants
de poissons alignés au bord de l'eau et les
femmes vêtues de noir, nous rappelle les îles
grecques. Le village de Primosten, serré
derrière ses murs, avec un quai à l'abri de
la houle, est une escale idéale pour amarrer
son bateau et se poser avant de repartir vers
les Kornati ou les îles plus au Sud. Une sorte
de Saint-Tropez en miniature qui s'ignore
encore et c'est bien ainsi.

les grains de beauté
de l'adriatique

Dans un paysage quasi lunaire, avec des
fonds marins d'une limpidité inouïe, les Kornati
sont un chapelet d'îles, de perles baroques
qui s'égrènent dans la mer.

Cet archipel d'une incroyable densité
et d'une insolente beauté, classé parc national,

rassemble 147 îles, îlots et cailloux sur moins de 300 kilomètres. Lors d'une de ses
visites dans l'archipel, l'écrivain Georges Bernard Shaw écrivit qu'« au dernier jour
de la Création, Dieu a voulu couronner son œuvre d'un mélange de larmes, d'étoiles
et de souffle, et a créé les Kornati ».

En naviguant entre les îles, car il faut naviguer dans cet espace saturé de bleus,
on semble être sur une autre planète. Au large, surgit une falaise karstique plissée
comme une robe de Fortuny. On croit discerner le reflet d'une voie lactée : ce sont
des îlots laiteux qui affleurent à la surface de l'eau. Ailleurs, une roche striée d'ocre
s'émiette sur une plage. Parfois, ce sont de voluptueux mamelons, vert céladon, des
cailloux comme une pierre de lune sertie de gemme, qui émergent à la surface
apportant de la douceur à l'horizon. On navigue en fonction des vents, glisse de l'une
à l'autre toutes voiles dehors, mouille dans une crique pour plonger, aborde une autre
pour pique-niquer. La plupart des îles restent sauvages et désertiques, certaines
ont été privatisées, d'autres possèdent quelques habitations qui partagent l'espace
et l'herbe rare avec les moutons.

*PAGE DE GAUCHE : les Kornati, îles,
îlots et rochers, s'étalent dans
l'Adriatique comme une voie
lactée dans l'azur de la mer.
Superbe et irréel.*

*CI DESSUS : parfois, on croise un
phare isolé sur son rocher. Ils
ont pour seul compagnon les
oiseaux et les bateaux
de passage.*

L'île Kornati, un hameau avec une chapelle et une tour de garde, est bien monacale comparée de celle de Murter, qui offre quelques hôtels, quelques restaurants et de modestes maisons de pêcheurs. Des maisons si séduisantes qu'elles se louent (chères) à une nouvelle génération de touristes en quête de robinsonnade.

CI-DESSUS : la ville de Trogir, un trésor inscrit au patrimoine de l'Unesco. Elle est depuis le Moyen Âge le haut lieu d'un foyer artistique qui perdure encore aujourd'hui.

une île, un phare

Tous les phares qui bordent le long de l'Adriatique, ou qui sont posés sur un îlot, ont été édifiés sous le gouvernement des Austro-Hongrois, au XIXe siècle, afin de protéger les côtes et d'assurer la navigation commerciale. D'architecture militaire ou simplement

fonctionnelle, beaucoup, parmi la quarantaine qui existaient, ne sont plus en fonction.
Une dizaine ont été réaménagés pour offrir aux vacanciers un hébergement insolite
et leur permettre de s'isoler en compagnie des cormorans et des dauphins.

trogir, comme un navire

L'île aux boucs s'appelait Tragurion du temps des Grecs, puis Tragurium sous
les Romains, une déclinaison qui se terminera en Trogir à l'époque des Croates.
Cette exquise cité médiévale, avec son espace urbain hérité du Moyen Âge,
est certainement la plus attachante de la côte dalmate. Bâtie sur une île et rattachée

à la terre ferme par deux ponts, il y flotte une odeur forte d'embruns, d'air marin dont la pierre blonde de Brac est gorgée. « Cette ville m'est chère, parce qu'elle ressemble à un navire... Entre le rempart et la mer, il n'y a qu'un large quai tout blanc qui l'entoure de sa clarté », écrit A. T'Serstevens dans *L'Itinéraire de Yougoslavie*.

De nombreux artistes, écrivains, sculpteurs, artisans ébénistes et tailleurs de renom ont choisi d'y vivre et d'installer leurs ateliers dans de belles demeures restaurées. La richesse de Trogir n'a pas échappé non plus à l'Unesco qui l'a classée à son patrimoine en 1997.

Le foisonnement artistique ne date pas d'hier. Le peintre Blaz Jurjev, dont les polyptyques gothiques éclatent de couleurs et qui illustre le mouvement artistique de l'école dalmate au XVe siècle, était originaire de Trogir. À Trogir s'instaure un dialogue entre les arts croates et ceux de l'Italie. Des artistes éclairés, instruits pour la plupart en Lombardie et en Toscane, comme le sculpteur Ivan Duknovič né à Trogir, s'imprègnent du nouvel esthétisme de la Renaissance pour créer un art original et croate. Les sculpteurs Andrea Alessi et Nicolas le Florentin (élève du Dalmate), qui vécurent à Trogir la deuxième moitié du XVe siècle, signèrent un chef-d'œuvre de la Renaissance dalmate : la chapelle du bienheureux Jean de Trogir évêque de la ville qui jouxte, sur la grande place, la cathédrale Saint-Laurent, réalisée par Radovan au XIIIe siècle. Avec lui l'art roman est en état de grâce. Le portail occidental, encadré par deux puissants lions, symbole de la Sérénissime, surmontés d'Adam et Ève dans leur plus simple nudité, est une pure merveille.

split, une ville dans un palais

Le palais était celui d'Aurelius Valerius Diocletianus dit le Dioclétien, sacré empereur romain en 248. Cette résidence impériale qu'il fit construire, près de sa ville natale Salona, au port de Spalatum, plus tard deviendra la ville de Split. Dix années furent nécessaires pour réaliser un ensemble fortifié de quatre hectares, un palais à sa démesure. Les flots venaient lécher les pieds des remparts hauts de 25 mètres et l'on pouvait y amarrer les vaisseaux, avant de pénétrer, par la porte de Bronze dans le *podrum* (les salles souterraines).

La reconstitution des plans du palais, effectuée par l'architecte anglais Robert Adam en 1764, révèle un tracé rigoureux. Le Decumanus et le Cardo se croisent à angle droit répartissant les bâtiments par fonctions. Dioclétien y vécut les neuf dernières années de sa vie une retraite grandiose et décadente, imposant cérémonial et pompes et persécutant les premiers chrétiens jusqu'à sa mort en 313. « Le palais de Dioclétien offre un des exemples les plus éclatants de la grandeur romaine... On ne trouve que dans les visions de Piranèse, l'équivalent de cette grandiose construction », Dominique Fernandez, *Dictionnaire amoureux de l'Italie*.

Grandeur et décadence ! Du palais, il ne subsiste que des pans de murailles en briques et pierres de Brac, les soubassements destinés aux esclaves, la vaste place centrale, le péristyle avec les colonnades et le vestibule qui menait aux appartements de l'empereur sur lesquels un sphinx de granit noir semble encore veiller.

Sur le mausolée de Dioclétien, l'église du VIIe siècle s'empressa de construire une cathédrale dédiée à Saint-Domius, un hommage rendu au premier évêque martyr de Salona qui fut persécuté par ordre de l'empereur. La crypte, qui servait de prison aux chrétiens,

est dédiée à Sainte-Lucie. Quant au temple de Jupiter, il fut converti en fonds baptismaux au IXe siècle et placé sous la protection de saint Jean-Baptiste.

Et le reste ? Il est là, exposé sous nos yeux, dans le labyrinthe des ruelles, sur le pavé aux dalles polies, les façades des maisons enchevêtrées, les fenêtres percées dans l'épaisseur des murs ou fondues entre les colonnes. Avec des lambeaux impériaux, Split a bâti ses logis et ses demeures. En 615, les habitants de Salone, poursuivis par les barbares slaves et avars, se réfugièrent dans l'enceinte du palais. Ils investirent les appartements, les casernes et les dépendances pour se loger, les ateliers pour travailler et marquèrent d'une croix les édifices voués aux cultes de l'empereur. Une rédemption pour un palais qui devint le cœur de Split.

Ville commerçante et florissante, Split déborda très vite de ses murailles et doubla sa superficie. Au cours des époques, les palais gothico-renaissance s'intercalent et fusionnent avec l'habitat originel. Les échoppes et les marchés s'installent sur les placettes. Les clochers fleurissent au-dessus des toits de tuiles rouges. Aujourd'hui la ville-palais vit au rythme de ses habitants et des touristes. La foule des visiteurs investit l'Agora. Les galeries et les boutiques de souvenirs ont squatté les voûtes des salles romaines et un nouvel hôtel, au décor très contemporain, s'est installé aux marches du palais. Appuyés au mur d'enceinte, les cafés alignent leurs terrasses. Sur la promenade de la mer, le long du quai bordé de palmiers, on cultive, à l'italienne, l'art de la déambulation. Un peu plus loin, à l'embarcadère, les ferries déversent leurs flots de passagers de retour des îles.

la pierre de l'île de brac

Une pierre couleur de miel sous le soleil, si belle que Pline l'ancien en faisait l'éloge. Blanche et d'un grain très pur, elle a le pouvoir de se durcir au contact de l'air et du temps. Une pierre précieuse, que les Romains prélevaient des carrières de Brac par milliers de tonnes. Elle servit, entre autres, à la construction de Split, de Trogir, des palais et des cathédrales gothiques, donnant, avec les traditionnelles

Dubrovnik, l'ancienne et aristocratique Raguse, a fasciné et fascine encore les écrivains et les esthètes.

toitures de tuiles rouges, une unité architecturale lumineuse. Pierre brute, elle se laisse
apprivoiser sous le burin et les ciseaux des tailleurs de pierre et des sculpteurs,
pour devenir de délicates œuvres d'art.

Les réserves semblent inépuisables et on l'utilise pour la construction de monuments
prestigieux tels la Maison blanche à Washington, le palais du Parlement à Vienne,
le palais du Gouverneur à Trieste et le palais du Parlement à Budapest. L'unique école
de taille de pierre de l'Adriatique se trouve dans le village de Pucisca, sur l'île de Brac.

dubrovnik, unique et aristocratique

« Dubrovnik, l'ancienne et aristocratique Raguse, fit allégeance à l'empereur de Byzance, puis, à partir de la quatrième croisade, à la république de Venise, puis aux Turcs, pour enfin passer aux mains des Autrichiens à la fin du XVIIIᵉ siècle. Elle resta catholique, aristocratique et cultivée et se tint à distances des barbares voisins », explique Evelyn Waugh dans *Journal de voyage en Méditerranée*. Les pages de littérature sur Dubrovnik abondent tant elle a fasciné et fascine encore les écrivains voyageurs et les esthètes.

PAGE DE GAUCHE : dans les restaurants, le poisson est toujours au menu.

CI-DESSOUS : vue des hauteurs, Dubrovnik dévoile une partie de son mur d'enceinte et ses principaux bâtiments avec, d'un côté la façade blanche de la forteresse Saint-Jean, et de l'autre la forteresse Minceta.

Son histoire, du temps où elle s'appelait Raguse, est un roman qui commence au VIIe siècle avec un village de pêcheurs perché sur un gros rocher. Face à l'Adriatique, avec en arrière plan une barrière montagneuse, ce modeste refuge fortifié devint plus tard un modèle du genre : une petite république gouvernée par un recteur avec la représentation de la noblesse locale, de l'église et de la bourgeoisie marchande. La conjugaison du pouvoir avec le sabre et le goupillon était alors totalement innovante. Des trésors de diplomatie, ajoutés à quelques tribus, lui permirent pendant mille ans de garder un statut privilégié avec la République de Venise et l'Empire ottoman.

« Naviguer et commercer avant tout » était la devise des armateurs de Raguse au XVe siècle. Un siècle après, une flotte de plus de deux cents navires sillonnait les mers vers l'Asie de Cathay et vers l'Afrique. Du Ponant au Levant, Raguse échangeait bois, épices et soies contre du sel. Celle que l'on surnomme « l'Athènes slave », foyer de la littérature croate avec l'écrivain Marin Držič et le poète Ivan Gundulič, rivalisait alors avec Venise pour sa culture et son opulence.

1667 annonce le déclin, un séisme détruit la ville, la peste suit. En 1808, Napoléon mit fin à la république de Raguse et la rattacha au royaume d'Illyrie avec pour gouverneur le maréchal Marmont, duc de Raguse. La décadence se poursuivit avec le contrôle des Autrichiens, la période du communisme et les années noires de 1991 à 1995 où Dubrovnik fut le théâtre d'événements tragiques et douloureux.

Avant l'état de siège, Jules Romain s'extasiait sur le chemin de ronde qui contourne Dubrovnik d'où l'on pouvait admirer « la nappe de la ville offerte avec ses toits multicolores qui évoquent une mer aux ondulations chatoyantes ». A T'Serstevens, qui aimait Raguse d'une ardeur spirituelle, sentimentale et sensuelle, notait « elle a trois couvents, aussi éloignés que possible les uns des autres, sans doute à cause de la vieille rivalité des ordres. Celui des franciscains est à la porte Pillé, celui des dominicains à l'autre bout de la ville, même en dehors de la porte Ploce. Les jésuites gîtent quelque part sur les hauteurs du Sud ».

À Dubrovnik, sous l'égide de l'Unesco qui a classé la ville au patrimoine mondial, les stigmates de la guerre se sont effacés, les bâtiments détruits ont été rapidement restaurés. Les tuiles offertes par les villes de Toulouse et d'Agen rosissent à nouveau les toitures. Les touristes, un temps privés de toutes ses beautés, affluent en masse sur la grande place et se rafraîchissent à nouveau à l'eau de la fontaine d'Onofrio. Selon un rituel, ils empruntent le pont de pierre et le pont-levis avant de pénétrer par la porte de Pile, sous la protection de Saint-Blaise le patron de la ville. Ensuite, il faut glisser sur les dalles blanches et lustrées de Placa pour admirer la fusion des styles qui vont du roman au baroque et s'imprégner de l'atmosphère très particulière. La vaste artère principale traverse la ville d'Est en Ouest pour s'achever au palais Sponza et à la porte Ploce : un travelling rectiligne de 300 mètres de long sur lequel convergent, comme des ruisseaux vers le fleuve, de multiples ruelles pentues. Placa était auparavant un chenal qui partageait socialement la ville, la noblesse au Sud, les petites gens au Nord. Il règne dans Dubrovnik un mélange de populaire et de sacré, on est à la fois saisi par la solennité des monuments (cloîtres, églises, couvents, palais) mis en avant de la scène, et charmé par l'effervescence brouillonne, presque napolitaine, à l'ombre des rues.

Théâtrale, Dubrovnik nous fait participer, côté cour et côté coulisses, à un véritable spectacle. C'est peut-être là le secret de sa séduction : nous émouvoir à chaque instant. À l'ombre des ruelles en gradins, on découvre les auberges et restaurants qui proposent une délicieuse cuisine locale, en particulier le Trabakula installé dans l'ancienne maison d'un notable de la ville.

les îles elaphites

Kolocep, Sipan et Lopud : de ces trois îles annexées par la république de Dubrovnik, cette dernière, à 50 minutes en bateau, était la préférée de la bourgeoisie ragusaine qui y fit construire des résidences patriciennes pour de paisibles villégiatures. Il en reste de belles églises et un village, des sentiers pour se promener et de belles plages isolées pour se baigner en toute quiétude.

Hvar, agreste et mondaine, bucolique et chic à la fois...

hvar, la star

Escale obligée, les plus beaux yachts s'arrêtent à Hvar, comme les navires à l'époque de la république de Venise. Dans le sillage de Caroline de Monaco, d'Emmanuelle Béart ou de Spielberg, on se donne rendez-vous le soir sur le quai. La place, presque aussi vaste et magique que celle de Saint-Marc à Venise, se transforme en salle de bal où chacun finit par se retrouver à un moment de la journée. Sur les dalles semblables à du marbre blanc (la lumineuse pierre de Brac !), les terrasses débordent. Hvar n'en revient pas d'être à nouveau – elle le fut à l'époque des premiers bains de mer – une star, saturée en été.

Agreste et mondaine, bucolique et chic à la fois, Hvar est aussi l'île aux champs dont l'intérieur a gardé toute sa rudesse : maquis dense aux odeurs violentes, chemins muletiers rocailleux, falaises abruptes qui apportent la touche sauvage, nécessaire à notre imaginaire. Ailleurs, les champs de lavande, les collines envahies de senteurs aromatiques, les coteaux plantés de vignobles et les criques claires expriment la douceur.

Le retour dans la ville, le port, la marina est une plongée dans le plaisir et la tentation. Restaurants, trattorias, *konobas* ne manquent pas. Mais les nourritures spirituelles ne sont pas en reste. En premier lieu le théâtre, premier théâtre populaire d'Europe, réfugié à l'étage de l'Arsenal. Précieuse bonbonnière XVIIe siècle, il a les délicatesses et la fragilité d'une marquise ayant frôlé la Révolution. Une sorte de guerre de la rose et du chardon opposait alors la petite bourgeoisie de l'île à l'aristocratie vénitienne. Pour calmer les esprits échauffés, on aménagea un petit théâtre

où tout le monde fut admis, sauf… les femmes, qui durent
attendre la fin du XIXᵉ siècle pour être acceptées !

La visite de la cathédrale Saint-Étienne vaut le détour.
Elle abrite une des plus anciennes icônes croates.
Dans le couvent, des bénédictines confectionnent
encore de la dentelle d'agave ; le jardin du couvent
des Franciscains protège des cyprès de plus
de 200 ans et le réfectoire accueille une cène peinte par un anonyme, certainement
admirateur de Léonard de Vinci.

Le premier palace dalmate des années 1900
avec sa façade renaissance est toujours debout,
baies vitrées face à la mer. Entre la cabine de
bateau, la pension de famille et le charme suranné
du grand hôtel, une nouvelle génération
d'établissements est en train de voir le jour.
Un projet très innovant est en cours, du palace
aux cinq étoiles avec spa, à l'hôtel de charme,
en passant par des villas, il offrira un large choix
d'hébergements. Kvar avait déjà tout pour plaire,
elle aura bientôt tout pour nous satisfaire.

En face, la petite ville de Palmizana
est l'annexe discrète. Lorsque Kvar sature,
ou simplement par goût, on se réfugie dans
une des îles Damnées (Pakleni), une erreur
de toponymie pour Palmizana qui est un petit
paradis. Des chemins dans la fraîcheur des pins
mènent aux plages de galets et à un hôtel-galerie
d'art plein de charme.

*PAGE DE GAUCHE : Hvar la star à
l'ombre de ses lauriers.*

*CETTE PAGE (DE HAUT EN BAS) : sur la
place de Hvar, la plus vaste de
l'Adriatique après celle de
Saint-Marc à Venise, la
fontaine en marbre et la
cathédrale Saint-Étienne ;
à l'intérieur de l'île, Hvar
déroule des tapis de lavande
mauves et odorants.*

« Les paysages de Vis et de Lastovo ont conservé des puretés de matin du monde ».

la beauté d'issa

La petite Vis est la plus éloignée, la plus occidentale, des îles dalmates. Il faut deux heures trente de ferry pour débarquer au port de Luka. Après être passé entre Solta et Brac, avoir croisé Hvar, on navigue plein Sud vers le port de l'île éponyme. Investie par les militaires depuis 1945, elle ne fut ouverte aux étrangers qu'en 1991. Cette autarcie imposée lui permit de rester authentique. « Les paysages de Vis et de Lastovo ont conservé des puretés de matin du monde », s'extasiait Paul Morand.

Une île pas toujours isolée ! Issa fut le premier comptoir grec de l'Adriatique. Les nombreuses amphores qui jonchent les fonds marins attestent du commerce intensif des vins à l'époque des Romains. Ils laissèrent une voie qui se perd dans l'île et des thermes en ruine envahis par les herbes. Les Croates s'en désintéressèrent et l'offrirent à des moines. Les Anglais l'utilisèrent pour contourner le blocus maritime établi par Napoléon. Pendant la Seconde Guerre mondiale, Tito y établit son QG sur la colline de Hum, puis l'île fut occupée par la marine yougoslave. Quant aux Isséens, beaucoup émigrèrent aux États-Unis au cours du XIXᵉ siècle. Que d'aventures pour une petite île au milieu de rien !

La ville de Vis se partage entre Luka et Kuta, deux ravissants villages séparés par une baie de 3 km où les maisons îliennes côtoient les demeures cossues. Sur la côte Ouest, à Komiza, on compte autant de barques de pêche que de cafés et de sobe (chambres à louer) et puis partout, autour de minuscules ports, des criques claires et des falaises qui se jettent dans la mer.

L'intérieur de l'île ? Un paysage de collines recouvertes de vignes, d'oliviers

RAGE DE GAUCHE : Vis, la plus éloignée des îles Dalmates. Après le couvent bénédictin, on pénètre dans la baie avec, au fond, le port de Luka.

CETTE PAGE (DE HAUT EN BAS) : le petit port de Kuta voué à la pêche ; plonger d'un rocher est un bonheur pour petits et grands.

et de vergers en terrasses, ou bien ourlés de murets de pierre, des routes qui se perdent ou qui mènent à des hameaux, des maisons abandonnées… La vocation viticole de l'île perdure. À la saison des vendanges, dans une ambiance festive, chaque maison se transforme en cellier et pressoir. Une odeur éthérée de mou de raisin envahit les villages, et les tonneaux s'amoncellent au bord des quais.

Pendant la saison estivale, au coucher du soleil, le port de Kuta se teinte d'un rouge flamboyant, les voiles envahissent la baie, les tavernes s'animent. On dîne sous la treille au bord de l'eau en dégustant du vin frais, du Vugava blanc, accompagné d'un risotto à l'encre, et on a l'impression d'avoir déniché un des derniers endroits authentiques de l'Adriatique. Pour combien de temps encore ?

korcula, la vénitienne

L'origine de Korcula remonterait, selon la légende, aux guerres troyennes. Les Vénitiens l'occupèrent dès le Xe siècle laissant définitivement leurs empreintes. Références à la cité des Doges, omniprésence de la mer, l'île, recouverte de chêne vert et riche en pierre calcaire, trouva sa vocation dans les chantiers navals et l'exploitation des carrières. Le bois circulait avec les idées. Korcula devint une cité cultivée et prospère, la plus vénitienne des îles dalmates.

La forme de la cité est comparable à la radiographie d'une dorade avec arêtes et dorsale vers laquelle convergent toutes les ruelles. Les maisons font le gros dos au *bora*, le vent qui parfois souffle du Nord. Sur la place, trône la cathédrale Saint-Marc avec son portail flanqué de deux lions. La nef, une coque de navire inversée, est typique de la charpente maritime. Les peintures du retable et de l'autel et la chapelle Saint-Antoine portent la signature du Tintoret.

Comme Venise, Korcula s'est approprié la naissance de Marco Polo, et sa « maison natale » se visite à deux pas de la cathédrale. Curieusement en 1298, lors d'une bataille navale, Marco Polo se fit capturer par les Génois et c'est dans une prison de Korcula qu'il aurait conçu le plus fabuleux des récits de voyage, *Le Livre des merveilles*.

D'origine médiévale, la danse de l'épée, la *moreska*, mime la lutte des Espagnols chrétiens contre les Maures musulmans. Le chevalier blanc et ses armées croisent l'épée contre le chevalier noir pour l'amour de Bula, la ravissante maure. Des spectacles se déroulent sur la place les soirs d'été.

PAGE DE GAUCHE : à Korcula, le lion de Venise rappelle l'ancienne présence de la Sérénissime ; avant d'être port de plaisance, Korcula était un chantier naval très réputé.

CETTE PAGE : étalée sur la presqu'île, Korcula a d'étranges ressemblances avec un bateau échoué.

PAGES SUIVANTES : Korcula semble assoupie. Il n'en est rien !

Vestibul Palace

Le premier hôtel de luxe de Split est mentionné par de grands guides comme une des destinations les plus prestigieuses de la Croatie. Dans cette ville dynamique qui vibre au rythme des innombrables boutiques et bistros, nul doute que cet établissement est un véritable joyau.

Le Vestibul Palace est le fruit ultra-chic de la fusion architecturale de trois anciens palais de factures romaine, gothique et renaissance. Ce mélange osé et indéniablement réussi de vieilles pierres non taillées et de modernité assumée a engendré un des hôtels les plus extraordinaires et les plus intimes.

Les cinq chambres et les deux suites de cette rareté rétro-minimaliste sont nichées dans les murs du vieux palais, auquel on accède par un vestibule romain de plus de 1 700 ans. Incorporés dans la structure des deux suites, les anciens murs donnent leur empreinte à tout le bâtiment. Au terme de plusieurs années de restauration méticuleuse et assidue, l'innovant Vestibul Palace a ainsi offert une seconde jeunesse à ce haut lieu historique et culturel de Split.

Avec ses chambres équipées d'écrans plasma et d'une connexion internet, l'intérieur de l'établissement superpose habilement le moderne et l'ancien. Les lignes droites sont adoucies par des coins arrondis, et pas un objet ne vient troubler une

harmonie digne des plus grands esthètes. La palette des couleurs décline de riches tons de brun, de noir et de beige. Les têtes de lit en cuir et les parquets impeccables mettent d'autant en valeur les meubles artisanaux réalisés par des ébénistes locaux. Le contraste ainsi créé entre la modestie de la

DANS LE SENS DES AIGUILLES D'UNE MONTRE :
la cour extérieure de l'hôtel ;
vue aérienne de l'hôtel ;
le restaurant Vestibul accueille
ses clients dans une ambiance
légère et aérée.

PAGE DE DROITE (DE GAUCHE À DROITE) :
le lounge minimaliste charme
par son élégance ;
des tons naturels habillent
les pierres vieilles de
plusieurs siècles.

pierre et du parquet, et la sophistication de l'ameublement concourent à former un univers très design.

Aucun détail n'est négligé, comme ces couvertures de soie fine sur les lits, discrètement retournées le soir par le personnel quand il laisse sur l'oreiller quelques chocolats... L'élégance tout en angles de l'établissement se retrouve jusque dans les baignoires esthétiques.

Dans la réception, les fauteuils Le Corbusier et mille et une touches stylisées révèlent toute leur beauté sous la lumière naturelle qui irradie du toit vitré. Au rez-de-chaussée, un ancien mur romain sépare les tables japonaises en bois de palmier vitrifié du café du restaurant Vestibul, où le murmure des conversations flotte parmi les pierres à nues qui ont chacune une histoire à raconter. Dans la ville fondée par Dioclétien et

classée au patrimoine de l'humanité, les murs blanchis à la chaux des bâtiments anciens reflètent, quand vient la douceur du soir, la lueur intermittente des lampadaires. À quelques pas, se dissimule l'une des plus petites et des plus anciennes cathédrales du monde. Pour découvrir le cœur de l'une des plus fascinantes créations urbaines de la planète, le Vestibul Palace est décidément le point de départ idéal.

EN BREF		
CHAMBRES	5 chambres • 2 suites	
RESTAURATION	Restaurant Vestibul : internationale	
BOISSON	Café Vestibul	
SERVICES	écrans plasma • connexion internet • salles de bains en marbre	
AFFAIRES	centre de conférences • 10 salles de réunion multifonctions	
ENVIRONS	cathédrale Saint-Duje • mausolée de l'empereur Dioclétien • temple de Jupiter • musée de la ville • théâtre national croate • théâtre de la jeunesse • marchés	
CONTACT	Hôtel Vestibul Palace, Iza Vestibula 4, 21000 Split • téléphone : +385 21 329 329 • fax : +385 21 329 333 • email : info@vestibulpalace.com • site internet : www.vestibulpalace.com	

Le Méridien Lav Split

centre-ville, l'hôtel jouit de panoramas insurpassables sur la mer.

Abritant huit restaurants dont les cartes s'inspirent du monde entier, huit bars et cafés, un centre commercial et des équipements sportifs et d'affaires, les quatre bâtiments du Méridien Lav de Split forment un havre de tranquillité tout indiqué pour s'échapper de la routine.

La montée d'adrénaline n'est jamais très loin : sports nautiques, plongée sous-marine, tennis et escalade sont quelques-unes des multiples activités proposées par l'hôtel.

Les amoureux du shopping seront comblés par les boutiques sélect de la marina. Pendant ce temps, le club pour enfants Penguin saura occuper les chères petites têtes blondes.

Sur la promenade, pas moins de soixante grands yachts luxueux tanguent doucement devant les magasins, les

Capitale des yachts de l'Adriatique, Split est la porte d'accès à la Croatie par excellence. Cette ville, vieille de 1 700 ans et classée au patrimoine de l'humanité, cultive son héritage mouvementé pour vivre un présent dynamique qui augure un plus bel avenir encore.

Base de départ idéale pour visiter cette étonnante cité et ses merveilleux alentours, le Méridien Lav est l'unique complexe hôtelier intégral de luxe des environs. Entouré de magnifiques jardins dessinés par le paysagiste Jim Nicolay, sur une plage de sable blanc privée à quelque 8 km du

DE HAUT EN BAS : vue aérienne du Méridien Lav de Split ; une chambre apprêtée avec luxe.

PAGE DE DROITE : le centre de fitness du Méridien comprend une salle de gymnastique, une piscine intérieure et un centre de soins thermaux, témoins de l'attention que porte Le Méridien au bien-être de ses clients.

restaurants et les bars du port. Les plus dépensiers ou les plus curieux ne manqueront pas de faire un détour par le Grand Casino Lav, unique en son genre dans le pays. Les tables de poker et la roulette y exercent leur effet hypnotique, vite dissipé dans l'exclusif Salon Privé. Joueurs ou spectateurs, tous les visiteurs du Casino apprécieront de prendre un verre à l'animé bar sportif, avant de se rendre au night-club InMotion, couru par la jet-set de la ville.

Pour plus de calme et de sérénité, le centre de bien-être et de soins thermaux Diocletian offre une large gamme de services et d'équipements, dont des thermes à la romaine, plusieurs piscines, des saunas,

des bains turcs, des bassins d'eau froide stimulants et des douches revigorantes. Ceux qui **se** sentent l'âme méditative pourront profiter de la zone de relaxation, où les parcours aromatiques, les excursions aquatiques et le yoga sont plébiscités.

Pour encore décupler ce sentiment d'espace et de quiétude intérieure, l'hôtel

Méridien Lav présente les plus grandes chambres de la côte dalmatienne. Chaleureux et accueillants, les lieux ont été pensés par le designer italien Lorenzo Bellini, en exclusivité pour cet établissement, et leur confort et leur luxe répondent aux plus grands critères hôteliers.

Chaque chambre et suite disposent de la technologie la plus avancée, dont une télévision câblée à écran plasma, une connexion internet haut débit et une climatisation personnalisée. La plupart des suites bénéficient d'un jacuzzi privé et d'un balcon privatif aux vues époustouflantes sur les îles alentour. Pour les personnes à la recherche d'un enrichissement personnel,

les rayons d'œuvres classiques et contemporaines de la confortable bibliothèque les attendent. En outre, les grands titres de la presse internationale sont disponibles le jour de leur parution.

Après tout, « hors de la ville » ne veut pas forcément dire « hors du monde ».

On emprunte avec plaisir un livre d'art croate contemporain pour le feuilleter à l'Art Café. Décoré avec des œuvres d'artistes locaux, l'endroit offre la plus grande sélection de thés et de cafés du pays, en plus d'un plateau de douceurs dalmatiennes, gâteaux ou pâtisseries, à faire craquer…

Sinon, on peut s'installer dans une confortable chaise longue et demander la boisson de son choix à un serveur amical, tout en prenant un délicieux bain de soleil près de la piscine extérieure…

La culture locale est systématiquement mise en valeur, et le concierge de l'hôtel se fait un point d'honneur à renseigner les clients sur tous les événements artistiques du moment, des concerts aux défilés de mode en passant par les expositions de peinture.

Maintenant qu'ont été exposés l'ambiance chaleureuse, les multiples activités possibles et les aménagements intelligents, concentrons-nous sur un des atouts les plus fameux du Méridien Lav : la cuisine. Innovation gastronomique, vins fins et service impeccable résument les trois règles fondamentales des restaurants de l'hôtel. Pour des mets raffinés, rendez vous au Spalatum Galleria, qui sert tous les jours petit-déjeuner, déjeuner et dîner. Sa cuisine ouverte laisse entrevoir le spectacle auquel se livre en coulisses le chef, pour le grand

plaisir des convives. Le menu international est certain de contenter tous les palais.

La carte de la Spalatum Brasserie parle pour elle. Les bons crus croates, choisis parmi un cellier exceptionnellement fourni, délivrent leur bouquet nuancé en plein air, sur la terrasse de l'établissement. De récentes études œnologiques suggèrent que le cépage californien Zinfandel proviendrait de Croatie, et qu'il serait donc très proche des cépages Plavac Mali et Crljenak.

Les noctambules découvriront avec joie que Le Méridien Lav possède un bar pour chaque occasion. Côté haut de gamme,

l'étonnant Champagne Bar est le must pour déguster des huîtres rincées aux bulles millésimées, en contemplant la marina privée et, au-delà, le coucher de soleil sur l'horizon doré. Pour des cocktails exotiques et des amuse-gueule irrésistibles, rendez-vous au frétillant Laguna Bar. Il y a toujours un endroit qui se prête à l'humeur du moment au fur et à mesure que la soirée avance. Pour une apothéose au son d'une musique live ne manquez pas le InMotion.

Si vous choisissez de faire un saut à Split, le transfert en vedette depuis la marina privée de l'hôtel est le meilleur moyen de réussir son entrée. Mais pour ceux qui ont adopté un style de vacances plus sédentaire, Le Méridien Lav est l'alternative rêvée.

Cet établissement a bâti sa réputation sur le soucis du facteur humain, comme en témoigne l'attitude de son personnel absolument irréprochable. Dans cet hôtel sans défaut, le seul problème est de choisir le second cocktail que l'on va commander...

EN BREF

CHAMBRES	364 chambres • 17 suites
RESTAURATION	Spalatum Brasserie : internationale • Spalatum Galleria : gastronomie • Pivnica : dîners informels • Seven Palms : snack bar
BOISSON	Champagne Bar • night-club InMotion • Art Café • Laguna Bar
SERVICES	solarium • centre de soins thermaux • sauna • bains à vapeur • piscines chauffées intérieures et extérieures • Grand Casino Lav • boutiques •
AFFAIRES	service de traduction • 7 salles de réunion • salle de danse
ENVIRONS	aéroport
CONTACT	Le Méridien Lav, Grljevacka, Podstrana 2A, 21312 Split • téléphone : +385 21 500 500 • fax : +385 21 500 300 • email : info-split@lemeridien.com • site internet : www.lemeridien.com/split

PHOTOGRAPHIES REPRODUITES AVEC L'AIMABLE AUTORISATION DU MÉRIDIEN LAV, SPLIT.

Hôtel Sv Mihovil

Les amoureux de la nature, des loisirs et des activités de plein air trouveront leur paradis à l'hôtel Sv Mihovil. Le « Saint-Michel » en français, moderne par sa façade d'un blanc éclatant, offre cependant un service chaleureux à l'ancienne. L'établissement donne sur l'enchanteresse rivière Cetina et propose tout un panel de sports d'aventure à pratiquer sans modération dans la belle Croatie.

Établi depuis 80 ans, cet hôtel familial est situé près de Trilj, en Dalmatie. Il n'est qu'à 10 minutes de la nouvelle autoroute qui donne un accès facile aux divers sites d'intérêt du pays, et à seulement une demi-heure de la ville côtière de Split et de son aéroport international.

L'établissement dispose de 28 chambres claires et spacieuses, dont deux suites de grand luxe. Toutes les chambres sont climatisées et équipées d'une ligne téléphonique directe, de la télévision câblée et d'un mini-bar. La plupart donnent sur la superbe rivière Cetina et sur le site archéologique voisin de Tilurij – lieu de balade parfait pour l'après-midi.

Le restaurant Sv Mihovil's Čaporice, inscrit dans les 100 meilleures tables de Croatie, régale locaux et touristes depuis des générations. Sa carte propose des plats de Cetina authentiques à base de produits de saison frais, tels de la grenouille, de

DE GAUCHE À DROITE EN PARTANT DU HAUT : le Sv Mihovil propose de nombreux sports d'aventure ; le Café Natura, en bord de rivière, sert des rafraîchissements sous une ombre reposante ; la descente de rapides plaira aux plus téméraires.

PAGE DE DROITE : le canoë est une activité vedette parmi les nombreuses autres que propose l'hôtel Sv Mihovil.

l'écrevisse, de l'arambašiçi (feuilles de chou farcies) et de l'agneau à la sauce tomate dalmatienne. Toutes les recettes veillent jalousement sur leurs traditions, sans pour autant refuser quelques aménagements contemporains. Polyvalent, le Čaporice se prête aux dîners aux chandelles estivaux sur la terrasse, comme aux grands galas et aux repas d'affaires.

L'hôtel possède en outre deux cafés douillets. Le confortable Café Sv Mihovil's est l'endroit idéal pour se détendre en terrasse, en dégustant une pâtisserie et un cappuccino fumant, devant un journal ou le lever du soleil. Et lorsque l'astre lumineux évolue vers l'Ouest, il est temps de rejoindre le Café Natura. Rien de plus délicieux qu'un tiramisu maison à l'ombre des grands saules sur les rives de la Cetina.

...tout un panel de sports d'aventure à pratiquer sans modération dans la belle Croatie.

Les petits excès gastronomiques pourront être compensés par un brin d'exercice au centre de fitness. Autre alternative : profiter des nombreux sports d'aventure proposés par l'Avanturist Club de l'hôtel. Il serait en effet dommage de ne pas se laisser tenter par un tour de kayac sur les rapides de la rivière, par une balade à cheval ou encore par un grand parcours de canoë.

Le vélo et le canyonisme peuvent être pratiqués dans les vertes collines de Trilj et la superbe région de la Cetina. L'Avanturist Club possède ses propres vélos, son écurie et son matériel de sports nautiques. Il organise avec un grand savoir-faire des itinéraires allant de un à sept jours.

Air pur, paysages vinicoles, sources et ruisseaux d'eaux cristallines... ce havre secret de la Croatie offre en quantités égales sérénité et adrénaline. En faire la découverte depuis l'expérimenté et chaleureux hôtel Sv Mihovil est un plaisir supplémentaire.

EN BREF		
CHAMBRES	26 chambres • 2 suites de luxe	
RESTAURATION	Restaurant Čaporice : locale	
BOISSON	Café Sv Mihovil • Café Natura	
SERVICES	climatisation • télévision câblée • mini-bar • salle de conférence pour 50 personnes • centre de fitness • Avanturist Club (canoë, kayak, VTT, rafting, équitation)	
ENVIRONS	Trilj • Split • aéroport international	
CONTACT	Hotel Sv Mihovil, Ul Bana Jelačí´ca 8, 21240 Trilj • téléphone : +385 21 831 790 • fax : +385 21 831 770 • email : sv.mihovil@inet.hr • site internet : www.svmihovil.com	

PHOTOGRAPHIES REPRODUITES AVEC L'AIMABLE AUTORISATION DE L'HÔTEL SV MIHOVIL.

Adriana, hvar marina hotel et spa

Pendant la guerre froide et l'isolement consécutif de l'ex-Yougoslavie, la Croatie était totalement coupée du monde.

Pourtant, certains contes merveilleux parvenaient quand même jusqu'aux oreilles de quelquees uns. Il était question de mer aux eaux cristallines, de kilomètres de plages vierges avec des galets blancs, d'un climat méditerranéen étonnant à force d'être parfait, avec ses longues journées de soleil et ses nuits délicieusement fraîches. On y parlait aussi d'un peuple très accueillant et de sa cuisine façonnée par de multiples influences ; de magnifique paysages et d'une noble architecture médiévale et de nombreuses cités historiques…

Bref, il était sans cesse question d'une véritable caverne d'Ali Baba ne demandant qu'à être explorée. Cependant, la rumeur restait toujours muette sur un point :

l'existence de bonnes adresses où séjourner, des adresses qui répondraient aux exigences internationales de style, de service et de confort. Quid de ces adresses qui auraient offert tous les avantages d'une destination inédite et préservée, en même temps que les agréments d'un endroit exercé et bien établi ? C'est simple : personne n'avait jamais entendu parler de tels endroits, car ils n'existaient pas.

Et, lorsque la Croatie s'ouvrit enfin au tourisme, il y a déjà quelques années, très peu de personnes osèrent se lancer dans l'organisation de vacances dans une telle région.

Mais il n'y a plus aucune inquiétude à avoir aujourd'hui. La Croatie s'est adaptée plus vite que quiconque eût pu le prédire, et cela est d'autant plus visible sur la côte dalmatienne. Une architecture et un design des plus tendances s'y marient avec les plus grands critères de service clientèle, pour former les nouveaux hôtels parmi les plus

saisissants d'Europe, faisant enfin du pays la destination internationale de grande classe qu'il a toujours mérité d'être.

Nuls n'illustrent aussi parfaitement bien ce développement que le tout nouvel Adriana-Hvar Marina Hotel et Spa et son confrère, le tout proche Riva-Hvar Yacht Harbor Hotel. Main dans la main, ces deux établissements ont ouvert la voie à la redéfinition du style et du confort qui caractérisent aujourd'hui le « nouveau look » de la côte dalmatienne.

Situé sur le front de mer de l'île de Hvar, dominant la promenade maritime, l'Adriana jouit de vues splendides sur le centre historique qui comprend une cathédrale, un arsenal et l'une des plus grandes places vénitiennes de la région. Derrière la mosaïque formée par les villes ancienne et nouvelle intimement liées, les collines luxuriantes dessinent une magnifique toile de fond. On profite au mieux de ce décor depuis la terrasse du toit de l'hôtel.

Celle-ci comprend en plus une piscine d'eau de mer chauffée et un agréable bar-lounge. Un toit rétractable permet de choisir entre fraîcheur extérieure et abri chaleureux en fonction des variations météorologiques. Les lieux sont tout indiqués pour faire un petit plongeon, bénéficier d'un massage ou siroter un verre près de la piscine, dans un environnement des plus reposants.

Un autre bar se trouve dans le hall de l'hôtel, outre un restaurant à terrasse spécialisé dans les poissons et les fruits de mer préparés à la méditerranéenne. Tous les plats sont concoctés avec le plus grand soin par des chefs talentueux qui choisissent minutieusement leurs ingrédients locaux.

L'Adriana dispose de 54 chambres et de 8 suites, toutes équipées de la climatisation, d'un accès internet sans fil, de la télévision câblée et d'une terrasse ou d'un balcon privatif.

CI-DESSOUS : les chambres de l'Adriana allient modernité et luxe confortable.

PAGE DE DROITE (DE GAUCHE À DROITE) : détente et revitalisation sont au programme du Sensori Spa ; la mer invite à une variété de sports nautiques, tous proposés à l'Adriana.

Cependant, le véritable bijou de l'établissement est son centre de bien-être Sensori Spa, où la vue, l'ouïe, le toucher, le goût et l'odorat sont à l'honneur. Installé sur quatre étages, ce sublime complexe présente un style inspiré de la culture locale, marié aux tendances internationales les plus sophistiquées. Ses équipements exhaustifs ont de quoi étonner même les connaisseurs les plus blasés.

Comme son nom le suggère, le Sensori Spa célèbre tous les sens, pour une expérience somptueuse qui transcende et le temps et la culture. Le centre met l'accent sur

...une expérience somptueuse qui transcende et le temps et la culture.

des programmes de soins ingénieux, dont le principe repose sur l'équilibre du corps et de l'esprit. Sont mises à contribution différentes méthodes de spa contemporaines alliées à des technologies modernes, ainsi que la phytothérapie et des remèdes traditionnels locaux. L'effet revigorant de la mer et de l'air marin de l'île de Hvar fait le reste.

Citons, parmi les cartes maîtresses du centre, un studio pour les cours de yoga et de méditation, quatre salles de massage proposant une large gamme de styles, deux salles de massage facial, le rituel du bain – une exclusivité Sensori – et trois salles

de traitements thermaux. Tous les soins sont conseillés et promulgués par des professionnels chevronnés, pour une détente et une revitalisation complètes, mentales comme physiques.

Enfin, l'Adriana présente l'immense avantage de faire profiter ses clients de la superbe île de Hvar. Le village proche de l'hôtel comporte de délicates petites boutiques, des cafés en terrasse, un monastère et des forts historiques.

Par ailleurs, après un court trajet en bateau, un archipel d'îles vous tend les bras avec toutes ses plages de sable blanc. La randonnée et la plongée s'organisent facilement, comme autant de façons de s'imprégner de la riche atmosphère de cette île, de sa culture et de ses habitants.

Si la Croatie a pu être délaissée par le passé, il n'en est heureusement plus rien. À cet égard, la renommée mondiale que ne manqueront pas d'acquérir l'Adriana et le Riva est d'une formidable éloquence.

EN BREF		
CHAMBRES	54 chambres • 8 suites	
RESTAURATION	cuisine de la mer méditerranéenne • service de chambre 24/24	
BOISSON	bar du hall • bar-lounge en terrasse • solarium	
SERVICES	piscine sur le toit • Sensori Spa • accès aux personnes à mobilité réduite • animaux domestiques bienvenus	
AFFAIRES	2 salles de réunion • service affaires 24/24 • équipement de bureau	
ENVIRONS	îles Paklinski • plongée • ski nautique • paravoile • écovillage d'Humac • monastère franciscain • fort espagnol	
CONTACT	Adriana, hvar marina hotel and spa, 21450 Hvar • téléphone : +385 21 750 750 • fax : +385 21 750 751 • email : reservations@suncanihvar.com • site internet : www.suncanihvar.com	

PHOTOGRAPHIES REPRODUITES AVEC L'AIMABLE AUTORISATION DE SUNCANI HVAR HOTELS.

Riva, hvar yacht harbor hotel

Durant une large partie du siècle dernier, la réputation de la Croatie reposait sur deux aspects. Premièrement : une extraordinaire beauté naturelle, des villes et des villages préservés, des criques abritées et des plages désertes de galets blancs, un art culinaire et une population sympathique. Deuxièmement : l'instabilité politique qui minait le pays, l'isolant du reste du monde. Ces deux aspects s'annulaient mutuellement, et avaient pour conséquence de décourager la plupart des voyageurs.

Mais, depuis la récente évolution politique, cette situation a bel et bien changé. La Croatie est aujourd'hui devenue une destination touristique méritante qui accueille toutes les nationalités de la planète.

DE GAUCHE À DROITE : le splendide coucher de soleil sur Hvar donne le départ d'une soirée glamour au Riva ; lignes pures et design moderne caractérisent l'hôtel Riva.

PAGE DE DROITE : le front de mer du Riva scintille dans la nuit, devant les bateaux au repos à quai après une journée de croisière.

Naturellement, il a fallu rattraper le temps perdu : le passage du statut de coin perdu paradisiaque à celui de lieu touristique de premier ordre ne se fait pas en un jour. À cet égard, grâce à des investissements intelligents et à un travail acharné, le pays est maintenant en mesure d'offrir des équipements de grande classe et un niveau de service jusqu'ici inconnus en ces terres. Et l'une des meilleures illustrations de cette reconversion se trouve sur l'île de Hvar, sur la belle côte dalmatienne.

Le Riva hvar yacht harbor hotel est le premier et unique membre croate du très élitiste groupe des Small Luxury Hotels of the World (SLH). On peut affirmer sans aucune exagération que, avec son tout proche confrère l'Adriana Hvar Marina Hotel et Spa, il permet à la région d'accueillir les

...le meilleur des deux mondes, le charme de l'ancien, et le luxe contemporain sophistiqué.

voyageurs les plus exigeants en matière de vacances luxueuses.

Faisant face à la promenade de palmiers en front de mer, au cœur du ravissant village de Hvar, cette demeure vieille d'un siècle récemment rénovée unit le meilleur des deux mondes, le charme de l'ancien, et le luxe contemporain sophistiqué. Avec ses 53 chambres à la décoration et à l'ameublement uniques, le Riva établit un nouveau record dans la catégorie service et satisfaction de la clientèle, ce qui était auparavant réservé à des lieux exclusifs tels que la côte italienne d'Amalfi ou la Riviéra française.

L'un des autres atouts majeurs de l'établissement est son restaurant, Roots. Tout y est pensé pour faire vivre une expérience culinaire où le meilleur de la cuisine traditionnelle méditerranéenne est rehaussé d'influences gastronomiques du monde entier, le tout avec les produits locaux les plus frais. Après dîner, en avant pour la musique au BB club. Occupant une vaste terrasse extérieure avec, en arrière-plan, un panel de yachts luxueux, c'est un passage obligé de la scène estivale de Hvar.

EN BREF

CHAMBRES	45 chambres • 8 suites
RESTAURATION	Roots : méditerranéenne
BOISSON	BB club
SERVICES	marina de yachts • accès aux personnes à mobilité réduite • massages • connexion internet sans fil • animaux domestiques bienvenus
ENVIRONS	îles Paklinski • l'arsenal • théâtre de Hvar • monastère franciscain • fort espagnol • fort Napoléon • écovillage d'Humac • sports nautiques
CONTACT	Riva Hvar Yacht Harbor Hotel, 21450 Hvar • téléphone : +385 21 750 750 • fax : +385 21 750 751 • email : reservations@suncanihvar.com • site internet : www.suncanihvar.com

PHOTOGRAPHIES REPRODUITES AVEC L'AIMABLE AUTORISATION DE SUNCANI HVAR HOTELS.

Palmizana Meneghello

Qui n'a jamais rêvé de s'évader dans une île paradisiaque, à des millions d'années-lumière de la vie quotidienne, et voir exaucé le moindre de ses désirs ? Penser que cela ne pouvait être qu'un rêve éveillé ? Pourtant, ce rêve est parfaitement réalisable à Palmizana, petite île toute proche de celle de Hvar, dans le sud de l'Adriatique.

La famille vénitienne des Meneghello s'installa dans l'île au XVIIIe siècle. Au fil des années, elle en fit le paradis arcadien qu'elle est aujourd'hui — un jardin d'Éden exubérant de 300 hectares, une terre vierge où coexistent une réserve naturelle, un

DE HAUT EN BAS : un petit coin douillet dans un des bungalows ;
le restaurant Palmizana est réputé dans toute la région pour ses plats marins ;
le minimalisme n'a pas sa place chez les Meneghello, les couleurs vives sont à la fête.

PAGE DE DROITE : la salle de séjour de la Villa White, parfaite pour les conversations paresseuses de l'après-midi, peut accueillir six personnes.

parc botanique exotique, des plages privées et les eaux les plus claires et les plus pures de la planète.

Mais si le « retour à la terre » est le principal attrait de l'île, les petits luxes de la vie ne manquent pas pour autant. En 1999, les lieux ont été refaits à neuf pour assurer le meilleur confort. Oubliés tous les soucis, relaxation totale garantie.

Le site propose 16 gîtes, des bungalows aux villas en passant par les

appartements. Prévus pour abriter entre 2 et 10 personnes, tous ont leur style propre et original, en bord de mer avec vues saisissantes dans toutes les directions de la boussole.

Même si la ville la plus proche est rapidement atteinte en bateau, Palmizana offre à ses clients l'une des meilleures tables de la région. Réceptacles de recettes et d'un savoir-faire transmis à travers les générations de Meneghello, les chefs préparent une cuisine à base de produits locaux, servie sur une magnifique terrasse en front de mer décorée de sculptures en bois. Le poisson sort à peine du filet des pêcheurs, les légumes biologiques sont issus des jardins de l'île : les papilles aussi ont droit à leur bout de paradis. Ce n'est pas un hasard si tous les plaisanciers de l'Adriatique font régulièrement escale dans la marina (200 emplacements) pour venir se régaler dans ce restaurant. Pour ceux qui redoutent de s'ennuyer, pas de panique. Ils doivent se laisser tenter par la plongée dans les eaux cristallines où la riche vie marine se découvre au milieu de récifs coralliens et d'épaves échouées. La pêche en haute mer et la chasse au faisan constituent d'autres options, de même que la voile, le ski nautique et la planche à voile. Une galerie d'art satisfera les amateurs, et le jardin botanique, créé en 1906, possède l'une des plus belles collections de plantes exotiques de Croatie, avec différentes espèces d'agaves, de mimosas et de lauriers, et les très nombreuses plantes aromatiques qui ont rendu l'île célèbre. Pour beaucoup, rien ne vaudra cependant les longues balades sur la plage déserte, où le silence bruissant de la mer transporte dans un monde de beauté à nul autre pareil.

EN BREF		
CHAMBRES	5 bungalows • 5 villas • 6 appartements	
RESTAURATION	Restaurant Palmizana : fruits de mer et cuisine continentale	
BOISSON	Toto's	
SERVICES	réserve naturelle • jardin botanique • plages privées • marina de 200 emplacements • galerie d'art • animaux domestiques bienvenus	
ENVIRONS	Hvar • centre de sports nautiques • location de bateau • chasse au faisan (automne et hiver)	
CONTACT	Meneghello Estate, Palmizana, 21450 Hvar • téléphone : +385 21 717 270 • fax : +385 21 717 268 • email : palmizana@palmizana.hr • site internet : www.palmizana.hr	

Hôtel Šipan

Les habitants de Dubrovnik peuvent s'enorgueillir de bien connaître les lieux de villégiature. Après tout, ils vivent dans l'un d'eux. Il est donc intéressant d'observer leurs habitudes et de remarquer que, pour s'évader, ils mettent le cap depuis des siècles sur la délicieuse et mal connue île de Šipan, au sud de la côte croate, à seulement 14,5 km de leur ville.

L'atout majeur de Šipan est sa beauté naturelle totalement épargnée par la modernité. Longue d'à peine 10 km et large de 3 km pour une population de 500 habitants, c'est une étendue sauvage immaculée où l'on peut vite se perdre dans la nature pour fuir le tumulte du vrai monde tapi derrière l'horizon.

L'île ne recense qu'un seul lieu de séjour, l'hôtel Šipan, dans le village en bord de mer de Šipanska Luka. Cette ancienne usine d'olives reconvertie en hôtel en 1979 a été complètement rénovée en 2006. Situé en front de mer à l'extrémité d'une baie longue et étroite, l'établissement jouit de vues imprenables sur la campagne et la mer, et délivre une quiétude que seule une petite île telle que Šipan peut offrir.

L'hôtel Šipan propose 83 chambres et 4 suites, en plus d'un appartement de luxe, installés dans une grande villa de cent ans d'âge. Toutes les chambres sont décorées et meublées avec goût dans un style traditionnel et douillet qui leur confère une ambiance de confort et de détente.

Le Pjat Restaurant est la carte maîtresse de l'hôtel. Situé dans une maison en pierres où l'histoire est partout présente, il sert une cuisine méditerranéenne agrémentée d'influences exotiques, concoctée par une équipe de chefs talentueux et passionnés. Les plats à base d'ingrédients frais et locaux se marient parfaitement avec une sélection des meilleurs vins croates et étrangers

DE HAUT EN BAS : les chambres récemment rénovées baignent dans des tons terriens épurés ; les salles de bains élégantes et bien éclairées.

PAGE DE GAUCHE (DE GAUCHE À DROITE) : vue enchanteresse de l'hôtel ; la terrasse en bord de mer, doucement illuminée par la lumière faiblissante du crépuscule ; l'excellent Restaurant Pjat propose une cuisine de gourmet méditerranéenne arrosée de très bons vins.

provenant directement de l'impressionnante cave du Šipan.

En bord de mer, le séduisant BarKa Cocktail Bar & Café propose le petit-déjeuner le matin, et des glaces, des en-cas et du thé l'après-midi, avant de se convertir en un très sympathique bar à vin à la tombée de la nuit.

L'hôtel possède en outre un centre de conférence qui peut accueillir jusqu'à 80 personnes, en faisant l'endroit idéal pour un séminaire professionnel ou une réception de type mariage ou anniversaire.

Cela étant, la vedette indiscutée d'un séjour au Šipan reste l'île elle-même. Et, pour ceux qui auront passé l'après-midi à marcher dans la campagne exubérante, à nager, à pêcher ou à plonger dans les eaux cristallines de l'île, l'hôtel propose des services de massages relaxants et de soins d'aromathérapie, qui achèveront en toute beauté une journée paradisiaque.

EN BREF

CHAMBRES	83 chambres • 4 suites • 1 appartement
RESTAURATION	Restaurant Pjat : méditerranéenne revisitée
BOISSON	BarKa Cocktail Bar & Café • cave à vin
SERVICES	massages • aromathérapie • plongée sous-marine • mouillage de yacht mobilité réduite
AFFAIRES	centre de conférence
ENVIRONS	Šipan • palais Skocibuha • plages • îles Elaphite • Dubrovnik
CONTACT	Šipanska Luka 160, 20223 Šipanska Luka, Otok Šipan, Dubrovnik • téléphone : +385 20 758 000 • fax : +385 20 758 004 • email : hotel-sipan@petral.hr • site internet : www.hotel-sipan.com

PHOTOGRAPHIES REPRODUITES AVEC L'AIMABLE AUTORISATION DE L'HÔTEL SIPAN.

Le Glavovic

habitants de ce lieu idéal pour les couples comme pour les familles sont toujours prêts à initier les visiteurs à l'hospitalité qui a fait la réputation de cette terre, également internationalement renommée pour sa dense flore méditerranéenne.

Par ailleurs, la plage de sable blanc Sunj – prononcez « choune » – est considérée comme la plus belle plage des îles Elaphite. Toute proche de l'hôtel, elle s'aborde par un jour tranquille, pour profiter au mieux des eaux cobalt de l'Adriatique.

Dirigé par les chaleureux Luka et Vlasta, l'établissement mêle savamment hospitalité et confort en bord de mer. Sa position centrale permet d'accéder aisément à la grande variété de bars, de restaurants et de

L'hôtel Glavovic est l'une des rares adresses trois étoiles de l'île de Lopud. Restauré de fond en comble en 2004, ce grand établissement en pierre occupe un site pittoresque au cœur d'une baie en fer à cheval, sur la côte sud-ouest de l'île.

Édifié en 1927, il s'agit du plus ancien hôtel familial du coloré front de mer, et même de l'île entière.

Véritable oasis de quiétude entièrement réservée aux piétons, Lopud est à 40 minutes en ferry de Dubrovnik. Les

DE GAUCHE À DROITE : le Glavovic occupe le front de mer de Lopud, une des îles Elaphite ; le va-et-vient des promeneurs constitue un tableau pour les hôtes qui flânent sur la terrasse.

PAGE DE DROITE (DE GAUCHE À DROITE) : la belle plage de sable blanc de Lopud ; les petits bateaux se prêtent parfaitement aux virées en mer.

L'hôtel Glavovic propose 12 chambres claires et spacieuses, ainsi que deux appartements. Chaque chambre dispose de la climatisation, de la télévision et de la radio par satellite, d'une connexion internet et d'une ligne téléphonique privées. La vue panoramique depuis les balcons et les suites face à la mer sont un agrément supplémentaire du séjour. D'abord saisi par une mosaïque de toits vermillon, le regard frôle les voiliers aux couleurs vives qui se balancent sur l'eau, avant de plonger dans l'Adriatique piquetée d'îles.

Le restaurant traditionnel de l'hôtel jouit de l'une des meilleures réputations, sur une île par ailleurs bien fournie en tables gastronomiques. Dans la salle intérieure confortable et décontractée, ou dehors, sur la petite terrasse à fleur de quai, touristes et locaux profitent pareillement d'une vaste carte de poissons grillés et de crustacés frais, de succulents morceaux de viandes et de plats végétariens. Un vieux piano

confère un charme désuet à l'établissement, dont les murs sont ornés de délicieuses petites peintures à l'huile des années 1930 et de photographies tout droit sorties de l'album de famille.

Côté loisirs, le choix est laissé entre le kayak de mer, le beach-volley, la plongée et la pêche : Lopud en a pour tous les goûts. Pour s'échapper un peu du continent et des sentiers battus, rien de mieux que ce petit bout d'île et son attachant hôtel Glavovic.

plages de l'île. De plus, les hôteliers organisent des visites dans les nombreux lieux culturels de Lopud, dont deux monastères, un musée, plus de trente chapelles et des vestiges de nombreux sites religieux. Si le temps vous est compté, le palais des recteurs et le fort espagnol valent particulièrement le détour.

EN BREF

CHAMBRES	12 chambres • 2 appartements
RESTAURATION	Restaurant Glavovic : locale
BOISSON	carte des vins
SERVICES	télévision par satellite • radio • connexion internet • accès fax et internet à la réception
ENVIRONS	jardins botaniques • plage Sunj • fort espagnol • palais des recteurs • tennis • piscine extérieure
CONTACT	Hôtel Glavovic, Obala Ivana Kuljevana, Lopud • téléphone : +385 20 759 359 • fax : +385 20 759 358 • email : info@hotel-glavovic.hr • site internet : www.hotel-glavovic.hr

PHOTOGRAPHIES REPRODUITES AVEC L'AIMABLE AUTORISATION DE L'HÔTEL GLAVOVIC.

Hilton Imperial Dubrovnik

du VIIe et du XVe siècle, cet établissement majestueux jaillit des palmiers environnants, halo de lumière contre la nuit étoilée. Dans la journée, la piscine intérieure éclairée à la lumière naturelle est une œuvre d'art à part entière : le soleil filtre à travers un toit de verre avant de se répandre dans la salle et de se briser sur les flots en multiples faisceaux chatoyants. Depuis la loggia, une structure d'origine superbement préservée et restaurée, l'œil embrasse la côte idyllique et plonge librement dans l'azur des eaux de l'Adriatique caressées par le soleil.

Si la vieille ville ne manque pas de bons restaurants ni de bars accueillants, le Porat Restaurant de l'hôtel garantit une expérience culinaire authentiquement croate. Installé dans une vaste salle accolée à une terrasse jouissant d'un beau panorama sur la ville, le restaurant est très apprécié des touristes et des locaux, dont certains ne jurent que par le bar marié à un verre de vin fruité de

Le pittoresque des tourelles sorties tout droit d'un conte de fées, des cimes montagneuses et des îles dressées dans leur fierté : nous sommes proches de Dubrovnik. Et au cœur de ce paysage enchanteur trône le Hilton Imperial Dubrovnik, hôtel de premier choix pour les voyageurs tentés par un séjour de luxe dans un splendide environnement.

À quelques minutes du centre historique de Dubrovnik (classé au patrimoine de l'humanité), au sein des monuments et des anciennes fortifications de la ville qui datent

Dalmatie. Pour le digestif, rendez-vous à The Bar, un lieu tamisé meublé dans un style méditerranéen, qui sert d'agréables verres au son d'une douce musique live.

Après les plaisirs de la chère, le corps peut réclamer une bonne séance de gymnastique et de soins thermaux. La salle de gym du Hilton Imperial répond justement aux attentes des clients les plus exigeants, tandis que le Beauty Line Spa propose des soins tout aussi haut de gamme.

Les chambres spacieuses intègrent les couleurs de la ville, terre, pierre et ocre mêlés. Les vues donnent sur la vieille cité, les jardins verdoyants et les montagnes environnantes. À l'intérieur, la décoration choie les motifs traditionnels, le style local et le bois artisanal. Le tout crée une ambiance reposante où il fait bon travailler, surfer sur l'internet haut débit, ou tout simplement se détendre dans un peignoir moelleux après un bain pharaonique dans une baignoire de marbre poli.

Pour ne rien gâcher, le Hilton Imperial Dubrovnik se prête idéalement aux séjours d'affaires. Ainsi, les clients de cette catégorie pourront profiter pleinement des salles de réunion, du salon d'affaires et du centre de conférence. Que ce soit pour le plaisir, le travail ou les deux, cette adresse ne peut pas décevoir.

EN BREF

CHAMBRES	147 chambres
RESTAURATION	Porat Restaurant : locale et internationale
BOISSON	The Bar
SERVICES	centre de fitness • Beauty Line Spa • piscine intérieure • massage • sauna • connexion internet sans fil
AFFAIRES	centre de conférence • 7 salles de réunion • salle de danse • salon d'affaires
ENVIRONS	aéroport international de Cilipi • centre historique de Dubrovnik
CONTACT	Hilton Imperial Dubrovnik, Marijana Blazica 2, 20000 Dubrovnik • téléphone : +385 20 320 320 • fax : +385 20 320 220 • email : sales.dubrovnik@hilton.com • site internet : www.dubrovnik.hilton.com

PHOTOGRAPHIES REPRODUITES AVEC L'AIMABLE AUTORISATION DU HILTON IMPERIAL DUBROVNIK.

Le Bellevue

Depuis le hall de l'hôtel, la vue surprend un monastère à flanc de montagne, au milieu du bleu cobalt de l'Adriatique. Cet époustouflant panorama ne doit absolument rien au hasard : ici, chaque détail a été soigneusement pensé, telle cette œuvre d'art qui trône dans la réception – une pièce commandée au grand sculpteur croate Dusan Dzamonja — afin d'offrir un séjour irréprochable aux visiteurs de Dubrovnik les plus huppés.

Grande inspiratrice d'hôtels d'un genre nouveau, la créatrice Renata Strok a abordé le Bellevue comme un être vivant quasi-organique, rejetant tout net le lustre froid et artificiel des hôtels modernes, et privilégiant à l'inverse une sérénité fondée sur la nature. Ainsi les couleurs de l'établissement reposent-elles sur la profondeur du bois d'olivier, l'anthracite du granit et les tons mats de la pierre. Toutes les autres matières

La dernière perle ajoutée par l'Adriatic Luxury Hotels à son cortège d'établissements touristiques de qualité, n'est rien moins que le récemment restauré hôtel Bellevue, dans la ville historique et enchanteresse de Dubrovnik.

Perché au sommet d'une colline, surplombant la baie retirée de Miramare, cette adresse sélect cinq étoiles, dont le lancement sur la scène mondiale a eu lieu début 2007, provoque déjà moult remous dans le beau monde.

DE HAUT EN BAS : les vitres panoramiques donnent sur la ville ; les chambres luxueuses offrent, pour la plupart, une vue imprenable sur la mer.

PAGE DE DROITE : le Bellevue baigne dans des tons naturels rehaussés de touches de verdure, mettant d'autant en valeur la mer alentour.

Perché au sommet d'une colline, surplombant la baie retirée de Miramare...

s'harmonisent sans aucune fausse note avec ces tons et ces textures, pour créer un îlot d'esthétisme plongé dans des eaux qui ne se dérobent jamais au regard depuis la réception de l'hôtel.

Digne de tutoyer le Dubrovnik Palace – son émérite *alter ego* – le Bellevue a déjà su trouver sa propre place. Il séduit une nouvelle génération de voyageurs dynamiques qui savent reconnaître le bon goût au premier coup d'œil, et qui évitent à tout prix l'homogénéité sans saveur des chaînes hôtelières.

Les 80 chambres et 13 suites, toutes climatisées, présentent une décoration empreinte d'un charme discret. Le minimalisme du parquet et des meubles aux lignes épurées tient la dragée haute aux grands yachts rutilants qui entrent et sortent du cadre de vision depuis les balcons privatifs. Et si le thème champêtre revient comme un leitmotiv, il n'est pas question de négliger la technologie la plus pointue. Les suites sont ainsi pourvues de matériel « intuitif », télévision interactive et accès internet par exemple, pour que le séjour soit le plus confortable possible. Enfin, la salle de cinéma, le centre de fitness, la magnifique piscine intérieure et le centre de soins thermaux ne sont que quelques-uns des autres atouts de l'établissement.

Quand vient l'heure des plaisirs gustatifs, on ne se privera pas de faire un tour au restaurant gastronomique de l'hôtel, après avoir siroté un verre de blanc local au bar qui donne sur la plage privée. Ceux qui seront de sortie auront par ailleurs l'embarras du choix entre tous les excellents bars et restaurants de Dubrovnik.

Que ce soit pour s'évader dans la nature maritime ou dans les nuits vibrantes de la vieille ville fortifiée qui célèbrent la joie de vivre, le Bellevue profite d'une position idéale qui mêle, avec une perfection osée rarement égalée, le meilleur des deux mondes.

EN BREF

CHAMBRES	80 chambres • 12 suites • 1 suite présidentielle
RESTAURATION	restaurant à la carte • lounge • restaurant de la plage
BOISSON	bar de la plage
SERVICES	télévision interactive • connexion internet • mini-bar • lignes téléphoniques privées • jacuzzi (dans les suites) • cinéma • centre de soins thermaux • piscine intérieure • club de fitness • sauna • salon de coiffure • boutiques • plage privée
ENVIRONS	aéroport international • vieille ville de Dubrovnik
CONTACT	Hôtel Bellevue, Pera Cingrije 7, 20000 Dubrovnik • téléphone : +385 20 330 000 • fax : +385 20 330 100 • email : welcome@hotel-bellevue.hr • site internet : www.hotel-bellevue.hr

Dubrovnik Palace

La quête du plus grand hôtel de Croatie et du meilleur centre thermal du pays s'achève enfin : le Dubrovnik Palace a fièrement décroché ces deux titres parmi les plus convoités dans l'univers du séjour international.

Vu d'en haut, le Dubrovnik Palace apparaît telle une cité prise entre le bleu cristallin de l'Adriatique et le vert délicat d'une odorante forêt de pins, offrant un panorama saisissant sur les îles Elaphite qui se détachent des rives de la belle péninsule de Lapad. Agencé par l'esprit visionnaire de la célèbre peintre et décoratrice d'intérieur

croate Renata Strok, l'hôtel constitue une galerie d'art qui expose en toute discrétion l'originalité des artistes contemporains croates. Une beauté sans prétention et une simplicité intemporelle qui mettent immédiatement à l'aise.

Grâce à son architecture en cascade, chacune des 308 chambres et suites de l'hôtel possède un balcon privatif et une belle vue sur la mer. À l'intérieur, le naturel du bois et des pierres polis est réveillé par les couleurs vives apportées par l'art contemporain et les fleurs fraîches. Toutes les chambres sont équipées d'une télévision

câblée à écran plat et d'une connexion internet haut débit.

Une soirée pimentée de tout le chic de Dubrovnik commence impérativement à la Maslina Tavern, par un apéritif entre chien et loup au bord de l'eau. Elle se poursuit par un dîner au Lenga, où l'on peut déguster une fameuse soupe à la mangue et aux moules accompagnée de quenelles de crevettes au gingembre, ainsi qu'un carpaccio de thon revenu au poivre servi avec son sorbet au champagne et au basilic.

Côté détente, les amateurs de remise en forme et de soins thermaux seront comblés par le Wren's Club qui propose, entre

autres, des cours de yoga et de méthode pilate. Le coin « spécial lune de miel » offre aux jeunes mariés des massages aux pierres chaudes et des masques aux algues... Passage obligé !

Avec l'un des meilleurs spots de plongée européens, l'Adriatique, le centre de plongée sous-marine du Dubrovnik Palace ne manquera pas d'interpeller les passionnés. Pour les débutants, l'activité « découverte plongée » sera l'idéal. Les moins aventureux pourront s'initier à ce sport dans la piscine intérieure chauffée de l'hôtel, ou dans l'une des trois piscines extérieures nichées dans les délicieux jardins.

Pour les visites, la vieille ville de Dubrovnik est à quelques minutes de l'hôtel en bus ou en taxi. En été, une navette fluviale fait la liaison entre le débarcadère privé de l'établissement et le vieux port. Mais l'on peut parier qu'avec la débauche de confort qu'offre le Dubrovnik Palace, ses hôtes auront bien du mal à s'en extirper...

DE GAUCHE À DROITE : les chambres du Dubrovnik Palace célèbrent une modernité chic ; l'Orlandinjo Club concocte des cocktails originaux à déguster au son de jazz live.

PAGE DE GAUCHE (DE HAUT EN BAS) : vue sur la mer et cuisine succulente veillent amoureusement l'une sur l'autre ; une des quatre piscines de l'hôtel, où détente et plaisir sont au rendez-vous.

EN BREF	
CHAMBRES	270 chambres • 36 suites • 1 suite présidentielle
RESTAURATION	Elafiti : internationale • Lenga : cuisine locale raffinée • Tavern Maslina : restauration décontractée
BOISSON	Lanterna Glorijet • Oazarium • Orlandinjo Club • Sunset Lounge • Vala Bara
SERVICES	centre de plongée PADI • spa Wren's Club • piscine intérieure • 3 piscines extérieures • tennis • galerie commerciale • plage • accès handicapés
AFFAIRES	centre de conférences • 10 salles de réunion multifonctions
ENVIRONS	aéroport • vieille ville • Mljet • Korcula
CONTACT	Masarykov put 20, 20000 Dubrovnik • téléphone : +3385 20 430 000 • fax : +385 20 430 100 • email : info@dubrovnikpalace.hr site internet : www.dubrovnikpalace.hr

Excelsior

Dubrovnik et ses fortifications blanchies par le soleil attirent toute l'année les hommes d'affaires et les touristes captivés par son mélange subtil d'art vénitien et d'architecture religieuse mais aussi militaire des périodes renaissance et baroque.

Pour profiter de ce joyau méditerranéen, l'Excelsior, du groupe Adriatic Luxury Hotels, l'un des établissements croates les plus réputés du monde, offre un paradis de luxe au cœur du Dubrovnik historique.

Véritable monument, il se dresse majestueusement au-dessus des eaux hypnotiques de l'Adriatique. Essentiel dans le renouveau de la Croatie de par son statut de destination méditerranéenne parmi les plus chic, l'Excelsior a été complètement rénové en 1998. Ses élégantes terrasses sont l'endroit idéal pour admirer la ville, la mer et la toute proche île de Lokrum.

L'établissement dispose d'une plage privée, d'un centre de fitness et d'une panoplie de boutiques très élégantes.

Les très fastueuses 154 chambres, équipées de tout le confort le plus moderne, rendent l'espace intérieur presque aussi impressionnant que le panorama accidenté de la côte. Spacieuses, elles sont meublées avec goût et exposent des peintures originales d'artistes croates renommés. Les

DE HAUT EN BAS : la ravissante piscine intérieure chauffée ; vue de nuit de l'Excelsior.

CI-CONTRE (DE GAUCHE À DROITE) : les chambres sont meublées dans un beau style classique ; le restaurant en terrasse est planté dans un décor en changement constant ; l'Adriatique offre une toile de fond parfaite aux vacances à la mer.

Un paradis de luxe au cœur du Dubrovnik historique.

meilleures chambres, hautes de plafond, possèdent des portes-fenêtres qui encadrent les fabuleux couchers de soleil sur la vieille ville. Toutes les chambres sont équipées du câble, d'un fax et d'une connexion internet. Les 18 suites proposent en outre chacune un jacuzzi, idéal pour se relaxer après une journée de visites ou de réunions professionnelles.

La clientèle d'affaires appréciera tout particulièrement les équipements pour les séminaires et les congrès.

Pour le dîner, on est charmé par le chic contemporain du Zagreb Restaurant, dont la vaste terrasse invite à l'observation et à la contemplation du clapotis éternel des eaux azurées de l'Adriatique.

Plus intime, la Tavern Rustica offre un menu régional et international innovant, accompagné d'une carte des vins très complète.

Les services de détente et de remise en forme de l'Excelsior ne sont pas le moindre de ses atouts. Ne cédant rien au luxe du reste de l'établissement, le salon Estetika prendra grand soin de votre corps.

La grande piscine intérieure d'eau douce permet un passage sur la plage privée immaculée, où les amateurs de sensations marines seront servis – location de canoë, virées en bateau et plongée sous-marine. L'hôtel fait profiter à plein de son excellente situation.

L'Excelsior incarne sans nul doute les vacances à la mer par excellence.

EN BREF		
CHAMBRES	154 chambres • 18 suites	
RESTAURATION	Restaurant Zagreb : locale et internationale • Tavern Rustica : régionale	
BOISSON	piano-bar • terrasse arborée	
SERVICES	connexion internet • câble • jacuzzi (dans les suites) • piscine intérieure chauffée • plage privée • équipements sportifs	
AFFAIRES	5 salles de réunion tout équipées • centre d'affaires	
ENVIRONS	aéroport international de Cilipi	
CONTACT	Excelsior, Frana Supila 12, 20000 Dubrovnik • téléphone : +385 20 353 353 • fax : +385 20 353 555 • email : info@hotel-excelsior.hr • site internet : www.hotel-excelsior.hr	

Le Pucic Palace

Malgré la concurrence féroce que lui livrent les villes voisines, celles-ci ne peuvent nier qu'à l'unanimité, Dubrovnik a été déclaré « joyau de l'Adriatique ». Cette vieille cité médiévale fortifiée, classée au patrimoine de l'humanité, incarne en effet le charme, la beauté, la vitalité et la richesse culturelle de toute la région.

Or, si Dubrovnik est le « joyau de l'Adriatique », le Pucic Palace est, de façon aussi certaine, le « joyau de Dubrovnik ».

Installée sur la place Gundulic, au cœur de la vieille ville, cette ancienne demeure de famille noble, où tinrent longtemps salon des hauts dignitaires, des personnages royaux et des artistes en visite, a été récemment totalement remise à neuf, pour renaître dans la peau de l'un des meilleurs hôtels de Croatie – un véritable palais au sens propre du terme.

Les 19 chambres et suites fastueuses du Pucic Palace marient avec art un style ancien sophistiqué, marqué par les hauts plafonds soutenus par des poutres de bois sombre, les meubles d'époque et le parquet de chêne, avec une technologie dernier cri telle que télévision câblée, lecteur DVD, connexion sans fil internet et climatisation. Le résultat de ce mélange est aussi somptueux et lustré qu'il est confortable et fonctionnel.

Et si l'on craint que la grandeur des pièces à vivre ne fasse de l'ombre aux espaces intimes, c'est sans compter l'opulence très caractéristique que présentent aussi les salles de bains. Avec leur mosaïque de facture romane sur les

DE HAUT EN BAS : la décoration de l'hôtel célèbre le charme de l'ancien ; le Café Royal sert une cuisine locale préparée avec amour.

PAGE DE DROITE (DE GAUCHE À DROITE) : les poutres au plafond ajoutent une touche chaleureuse au décor limpide des chambres ; plafonds en pente et vasistas personnalisent chaque chambre de l'hôtel.

Un palais au sens propre du terme.

murs, leurs grandes fenêtres qui laissent entrer la lumière naturelle, leur baignoire et leurs lavabos en cuivre poli, et leurs lotions et cosmétiques luxueux dignes d'une princesse, il est à parier que les clients auront bien du mal à s'en arracher.

Peut-être l'un des trois excellents restaurants de l'hôtel arrivera-t-il à les déloger de leur salle de bains, quand ils sentiront l'appel des sens gustatifs.

Au rez-de-chaussée, le Café Royal, brasserie de type parisien avec une terrasse sur la place, sert des spécialités locales, dont la célèbre « soupe de pierre », concoctée avec des galets et des minéraux de l'Adriatique.

Le Defne, quant à lui, propose des plats de la Méditerranée orientale dans un cadre plus formel, avec la possibilité de s'attabler à l'extérieur en terrasse.

Enfin, le bar à vin Razonoda, en plus d'être un haut lieu de la jet-set de Dubrovnik, offre une vaste carte de mets légers croates, tels des fromages et des jambons locaux, ainsi qu'une sélection d'excellents vins, cognacs et cigares.

Cependant, malgré la probable tentation de ne plus jamais quitter le Pucic Palace une fois qu'on y est entré, aucun séjour ne serait vraiment complet sans une visite de Dubrovnik. Car ses cathédrales et ses châteaux, ses côtes fabuleuses, ses rues pavées et ses cafés pittoresques, ses clochers baroques et ses places médiévales ont largement de quoi charmer tous ceux qui ont ne serait-ce qu'une once de curiosité pour la beauté, l'histoire et la culture de cette fascinante et encore méconnue partie de l'Europe.

EN BREF

CHAMBRES	19 chambres
RESTAURATION	Café Royal : locale • Brasserie Defne : méditerranéenne
BOISSON	bar à vin Razonoda
SERVICES	service de chambre 24/24
ENVIRONS	Dubrovnik
CONTACT	Ulica Od Puca 1, 2000 Dubrovnik • téléphone : +385 20 326 222 • fax : +385 20 326 223 • email : reservations@thepucicpalace.com • site internet : www.thepucicpalace.com

Villa Dubrovnik

Choisir la bonne destination et le bon lieu d'habitation pour les vacances peut s'avérer risqué. Entre les milliers d'endroits proposés, le choix réussi relève souvent du quitte ou double et dépend davantage de la chance que du jugement. En la matière, se tromper peut coûter cher et laisser des souvenirs désagréables qui perdureront bien après des vacances ratées.

C'est pourquoi il peut être sage de consulter une agence fiable qui peut fournir

DE GAUCHE À DROITE : la Villa Dubrovnik se dresse majestueusement sur la côte dalmatienne ; la belle terrasse de la villa.

PAGE DE DROITE (DE GAUCHE À DROITE) : les chambres doubles sont spacieuses et étonnamment confortables ; la chaleureuse décoration se retrouve dans tout l'hôtel.

une liste des propriétés les plus à même de répondre à ses attentes. C'est la mission que s'est confiée Villa Book, agence de location de propriétés dirigée par des professionnels hautement qualifiés.

S'appuyant sur une étroite collaboration avec les propriétaires et les agents touristiques locaux, le personnel de la Villa Book se fait fort de tout connaître des destinations qu'elle propose, afin de répondre au mieux aux attentes de chacun, qu'il s'agisse d'un lieu pour une échappée romantique en couple ou pour un séjour familial ou en groupe.

Avec un catalogue regroupant des centaines de propriétés dispersées sur trois continents, Villa Book n'est jamais à court

de suggestions, en particulier sur les côtes méditerranéenne et adriatique. Elle offre ainsi des demeures en Italie, en Espagne, au Portugal, en France, au Maroc, à Chypre et... en Croatie.

La magnifique Villa Dubrovnik fait partie de ces demeures que vous propose Villa Book. Située au sud-est de l'enchanteresse côte dalmatienne, juste à la sortie des enceintes de la charmante ville médiévale à laquelle elle a emprunté son nom, cette grande maison blanche s'inscrit dans un écrin de verdure luxuriante qui se

déroule jusqu'à un embarcadère privé et à une plage rocheuse.

Récemment rénovée dans les plus grandes règles de l'art, la villa comporte cinq chambres spacieuses. Chacune est équipée de la télévision câblée et d'un mini-bar bien approvisionné, ainsi que d'une salle de bains en marbre munie d'un jacuzzi, et offre une vue splendide sur l'Adriatique et la toute proche île de Lokrum.

Avec ses jardins à la française et sa vaste salle de séjour qui peut accueillir plus de 100 personnes assises, la luxueuse

Villa Dubrovnik est idéale pour organiser des noces ou toute autre grande réception.

À quelques minutes à peine de Dubrovnik, le principal atout de la Villa est peut-être son excellent emplacement, qui permet à ses habitants de profiter du meilleur des deux mondes : d'un côté, la paix et la quiétude d'une campagne préservée ; de l'autre, un accès rapide à l'une des villes les plus historiques d'Europe et à tous les plaisirs qu'elle réserve. Restaurants, musées, églises, pièces de théâtre et concerts, tout est à portée de main dans ce lieu magique.

EN BREF

CHAMBRES	5 chambres doubles
RESTAURATION	cuisinier sur place
BOISSON	mini-bar
SERVICES	piscine extérieure
ENVIRONS	Dubrovnik • mer Adriatique
CONTACT	12 Venetian House, 47 Warrington Crescent, Londres W9 1EJ • téléphone : +44 845 500 2000 • fax : +44 845 500 2001 • email : info@thevillabook.com • site internet : www.thevillabook.com

PHOTOGRAPHIES REPRODUITES AVEC L'AIMABLE AUTORISATION DE LA VILLA BOOK.

Dubrovnik House Gallery

DE HAUT EN BAS : loin du chrome et du verre en vogue, la Maison de Dubrovnik favorise les pièces chaleureuses ; au rayon alimentation, miels et fruits confits.

PAGE DE DROITE (DE GAUCHE À DROITE) : l'art et l'artisanat croates sont à la fête sur trois étages ; la Maison de Dubrovnik promeut avec ardeur les artistes locaux et leurs œuvres .

La Maison de Dubrovnik est un coffre sans fond, d'où l'on retire indéfiniment de riches trésors. Les visiteurs peuvent passer des heures à observer la myriade de bibelots insolites qui la décorent et en émerger en ayant totalement perdu la notion du temps.

Sise dans une tour du XIVᵉ siècle, la galerie est un élément essentiel de la ville classée au patrimoine historique ; une pierre angulaire de ses vieux murs dont le cœur bat encore au rythme de la culture et de la tradition. La Maison expose l'art, l'artisanat,

les vins et les mets de la Croatie, délaissant le minimalisme de la plupart des galeries contemporaines pour favoriser la touche organique du bois et de la pierre.

Le rez-de-chaussée abrite un vaste cellier qui rend hommage à la tradition viticole de la région. Les cépages locaux Dingaè, Postup, Plavac et Maraština sont particulièrement choyés, et les dégustations sont très fréquentées. Riche en plantes aromatiques et médicinales, la Croatie s'illustre aussi dans la fabrication d'eaux-de-vie et de liqueurs aux herbes. Il n'est pas rare de repartir d'ici avec une ou deux bouteilles, afin de prolonger le goût des vacances longtemps après le retour.

Les gastronomes ne seront pas en reste. L'huile d'olive de la région est un classique réputé, de même que les miels, les confitures et les fruits confits, figues et amandes délicieusement méditerranéens. Sagement

d'artistes locaux et des souvenirs artisanaux inspirés de la culture croate. Un petit escalier mène au niveau supérieur de l'univers artistique du pays, où se tiennent des expositions permanentes et temporaires, le plus souvent en présence de l'artiste vedette.

La faculté de la galerie à transposer l'histoire et les traditions dans le monde moderne et quotidien a été reconnue par tous, au point que l'office de tourisme de Croatie lui a récemment décerné sa plus grande récompense, le Plavi Cvijet. La Maison de Dubrovnik est la dépositaire de siècles de culture et de savoir-faire croates. Tous ceux qui s'y sont aventurés savent que ces ingrédients ne s'apprécient qu'en les savourant.

disposées dans des coffrets, ces irrésistibles douceurs feront fatalement craquer les amoureux du sucre. Le rayon aromatique ajoute encore au plaisir des sens avec ses rangées parfumées et bariolées d'huiles essentielles, de savons et de shampoings aux herbes — une rare gâterie visuelle et olfactive.

À l'étage, on pénètre dans un royaume d'esthétisme où se dévoilent les créations

EN BREF

PRODUITS	vins • liqueurs • sucreries • produits locaux • artisanat • souvenirs
LES PLUS	galerie d'art • expositions • dégustation de vin (selon calendrier) • événements culturels
ENVIRONS	vieille ville de Dubrovnik
CONTACT	Svetog Dominika 2, 20000 Dubrovnik • téléphone : +385 20 322 092 • fax : +385 20 322 091 • email : ars.longa@du.t-com.hr

Bijouterie Đardin

Depuis des siècles, la ville de Dubrovnik est considérée comme le « joyau de l'Adriatique ». Comme tout joyau, c'est l'agencement parfait de ses multiples facettes qui en fait la beauté. Sous un certain angle, c'est le superbe emplacement géographique de la ville, sur une côte finement découpée, qui nous frappe. Sous un autre angle, c'est l'histoire qui se présente à nous, histoire qui remonte à l'âge du bronze et se nourrit des influences romaine, ottomane et austro-hongroise, parmi bien d'autres. Enfin, la ville se découvre à travers l'atmosphère vibrante de ses rues, de ses cafés, de ses restaurants et de ses clubs nocturnes.

Les facettes de ce bijou sont si nombreuses que l'une d'elles passe souvent inaperçue : Dubrovnik est aussi un paradis du shopping où officient des artisans parmi les plus doués d'Europe. Cet héritage est cultivé depuis l'âge d'or de la ville en tant que grand centre d'échanges du continent. Et aujourd'hui, le savoir-faire des maîtres ouvriers croates reste à portée de main, à condition de savoir où chercher.

On le trouvera sans conteste à l'orfèvrerie Đardin, installée dans le décor sublime d'un jardin clos (*dardin* signifie « jardin » dans la langue locale) de Miha Pracata, au cœur de la vieille ville. Sous la marque Cro Art Design, la joaillerie propose colliers, bracelets, bagues, boucles d'oreille et autres accessoires, tous dessinés et fabriqués à la main sous la supervision des célébrités locales, Mihovil Ritonija et Margareta Juzvisen-Margo.

Ces deux créateurs qui ont parcouru la planète en quête d'idées et de techniques originales piochent dans le savoir et l'expérience ainsi accumulés pour créer des pièces uniques qui relèvent autant de l'art que de la bijouterie. Une grande diversité de matériaux – perle, argent, or, corail, pierres précieuses et semi-précieuses – sert

CI-DESSUS ET CI-CONTRE : des bustes de mannequin exposent les pièces délicates ; l'atmosphère artisanale des lieux ; un large éventail de matériaux pour des œuvres uniques ; un collier en corail rouge.

PAGE DE DROITE (DE GAUCHE À DROITE) : les procédés d'exposition innovants reflètent l'esprit créatif qui anime Đardin ; l'espace et l'ambiance détendue invitent à la contemplation.

leur philosophie, selon laquelle leurs modèles se doivent de renfermer une grâce éternelle qui sache réhausser la personnalité et la beauté de celui ou celle qui les porte. Pour eux, cet aspect fondamental prime sur la mode ou les tendances, ou sur la concurrence avec les producteurs de masse qui dominent actuellement le marché.

Les deux stylistes s'attachent donc à créer des pièces uniques minutieusement travaillées, en se laissant porter par un esprit d'avant-garde influencé par le style croate qui consiste à mêler ancien et nouveau, traditionnel et moderne. En guise d'illustration, on citera ce coupe-papier créé d'après une boucle de ceinture traditionnelle que portent les femmes de Dubrovnik.

Une telle veine créative se retrouve dans de nombreux bijoux, et il serait bien dommage que les visiteurs du « joyau de l'Adriatique » ne réservent pas un peu de temps à cette orfèvrerie fine.

EN BREF

PRODUITS	bijoux
SPÉCIALITÉ	modèles uniques • savoir-faire traditionnel • matériaux naturels
ENVIRONS	tous les sites de Dubrovnik
CONTACT	Miha Pracata, 20000 Dubrovnik • téléphone : +385 20 324 744 • fax : +385 51 603 509 • email : mm.design@inet.hr

PHOTOGRAPHIES REPRODUITES AVEC L'AIMABLE AUTORISATION DE LA BIJOUTERIE ĐARDIN.

Nautika

Les initiés savent que juste à la sortie de la route principale, sur la côte Adriatique, au-delà de la porte Pile du Dubrovnik historique, on trouve le Nautika, lieu de gastronomie réputé qui a toutes les raisons d'être déclaré meilleure table de la ville.

Le Nautika fait partie de l'Esculap Teo, une alliance de restaurants fondée il y a une trentaine d'années, qui réunit deux autres établissements tout aussi prestigieux : Proto, en plein cœur de la dynamique vieille ville, et Konavoski Dvori, dans une vallée paisible et idyllique à l'est de Dubrovnik.

Lové dans une crique aux vues pénétrantes sur l'Adriatique, le Nautika valorise la beauté de l'environnement en faisant passer en arrière-plan une décoration discrète. Un tel site ne pouvant rester longtemps inaperçu, les émissions culinaires qui ont vanté ce trésor national ne se comptent plus. L'élégante terrasse surplombe une anse rocailleuse, et laisse la vue s'attarder sur les eaux cristallines et les forteresses de Bokar et Lovrijenac dorées par le soleil méditerranéen.

Au Nautika le bien nommé, le chef Nikola Ivaniševiç règne en maître sur ce royaume de la mer. Sa crème de langoustine aux truffes noires est un bouquet éclatant de saveurs fluides, parfaites pour préparer le palais aux médaillons de homard à la Korcula ou au ragoût de poisson à la polenta façon Lopud. Bien entendu, le chef ne limite pas son talent au poisson, loin de là ! Chaque plat est préparé et présenté de manière à honorer le superbe panorama, et il va sans dire que les convives sont rarement déçus. Nikola a

DE HAUT EN BAS : la boussole vitrifiée du plafond répand son prisme coloré dans le restaurant ; la terrasse du Nautika embrasse l'Adriatique, pour des déjeuners en extérieur aux vues imprenables.

PAGE DE DROITE : les imposantes forteresses de Bokar et Lovrijenac forment l'horizon de la vue panoramique.

...toutes les raisons d'être déclaré meilleure table de la ville.

élevé au rang de passion l'art de faire connaître la cuisine de Raguse (l'ancienne Dubrovnik) à une nouvelle génération cosmopolite. Il a ainsi servi le pape Jean-Paul II, Richard Gere, le chanteur de U2, Bono, et le comédien Owen Wilson.

Au son du ressac et de la brise marine qui caresse le feuillage de la terrasse, un déjeuner en extérieur est un pur moment de bonheur. Au dîner, les clients profitent de soirées embaumées avec pour décor, une voie céleste étoilée qui révèle le port de Dubrovnik. La salle intérieure baigne dans une lumière prismatique envoyée par un vitrail représentant une boussole incrustée dans le plafond. Mille et une teintes se déposent ainsi sur des meubles élégants, des murs lambrissés, des fenêtres à croisillons, rehaussant l'atmosphère unique. Les amoureux du raffinement ne manqueront donc pas d'apprécier ce rare alliage d'exquise cuisine, de cadre subtil et de service irréprochable. Déjà hors du commun en soi, le restaurant entre, grâce à son emplacement sur la côte Adriatique, dans la catégorie de l'extraordinaire. À ne manquer sous aucun prétexte.

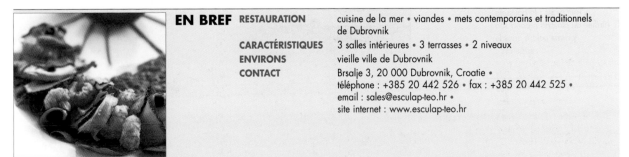

EN BREF

RESTAURATION	cuisine de la mer • viandes • mets contemporains et traditionnels de Dubrovnik
CARACTÉRISTIQUES	3 salles intérieures • 3 terrasses • 2 niveaux
ENVIRONS	vieille ville de Dubrovnik
CONTACT	Brsalje 3, 20 000 Dubrovnik, Croatie • téléphone : +385 20 442 526 • fax : +385 20 442 525 • email : sales@esculap-teo.hr • site internet : www.esculap-teo.hr

Croatia Airlines

Dotée de la flotte la plus moderne du pays, Croatia Airlines est la compagnie aérienne d'élite de la Croatie. Fier membre du réseau Star Alliance depuis 2004, ce transporteur national permet à un nombre croissant de voyageurs d'accéder à ce pays magnifique et bouleversant.

Basée dans le Nord, à Zagreb, Croatia Airlines relie tous les grands centres commerciaux, touristiques et industriels d'Europe et, de là, plusieurs destinations dans le monde.

La liste de ses dessertes ressemble à un bottin mondain européen : Amsterdam, Bruxelles, Francfort, Londres, Munich, Rome, Paris, Sarajevo, Skopje, Vienne, Zurich…

Les voyageurs explorant la Croatie en long et en large peuvent compter sur ses vols intérieurs réguliers pour rejoindre Dubrovnik, au Sud, Split, sur le littoral Adriatique, Zadar, sur la côte Est, et Pula, au Nord. Depuis ses modestes débuts avec un unique appareil Cessna, en 1989, Croatia Airlines a pris un envol rapide en portée, en échelle et en envergure. C'est aujourd'hui l'une des premières compagnies de taille moyenne en Europe, avec plus de 15 millions de passagers satisfaits en 2007.

Naturellement, un transporteur aussi exigent ne néglige pas les loisirs en vol, la restauration et la qualité du service. Des boissons, ainsi que des repas adaptés au régime de chacun, sont servis par un personnel de bord souriant, rassurant et professionnel jusqu'au bout des ongles.

Le soin permanent que porte Croatia Airlines à sa clientèle l'a conduit à proposer

de nombreux avantages, loin d'être étrangers à sa bonne réputation. Sur les vols domestiques, les enfants de moins de 2 ans voyagent gratuitement. Les petits globe-trotters ont droit à des repas préparés spécialement pour eux et présentés de façon amusante, pour mieux soulager les parents de ce type de préoccupation.

Par ailleurs, depuis son lancement en 2006, le système de billetterie en ligne de Croatia Airlines, qui facilite grandement la recherche des vols et leur réservation, remporte un franc succès.

Le club FlyOnline fait bénéficier d'avantages qui séduisent à la vitesse grand V une nouvelle génération de voyageurs sensibles à la rapidité et à l'efficacité.

Le système de fidélité Miles & More, qui permet d'accumuler des points, est une autre raison d'utiliser cette honorable compagnie nationale. Les passagers en classe affaire profitent des solides partenariats locaux de Croatia Airlines, avec des avantages notables en matière de location de voiture. Les étudiants, les jeunes et les seniors ne sont pas oubliés, avec une réduction de 15 % sur le tarif des vols internationaux.

Chaleureux et serviable, le personnel navigant de la compagnie fait tout pour que les passagers laissent leurs inquiétudes sur le tarmac. Pour commencer ses vacances dès les premières secondes après le décollage, Croatia Airlines est sans nul doute le transporteur de premier choix.

DE GAUCHE À DROITE : les avions de Croatia Airlines arborent fièrement leurs couleurs nationales ; le chaleureux personnel de bord s'assure que les passagers passent un agréable voyage.

PAGE DE DROITE : le personnel navigant de Croatia Airlines ; compagnie aérienne nationale de la Croatie depuis 1989, Croatia Airlines offre des services irréprochables.

EN BREF **DESTINATIONS** Amsterdam • Bruxelles • Dubrovnik • Francfort • Londres • Lyon • Paris • Rome • Munich • Pula • Sarajevo • Skopje • Split • Vienne • Zadar • Zagreb • Zurich

SERVICES menus enfants • repas adaptés • films promotionnels • bar gratuit

CONTACT Croatia Airlines, 9, rue du Faubourg Saint-Honoré, 75008 Paris • téléphone : +33 1 42 65 30 01 • fax : +33 1 42 66 43 27 • site internet : www.croatiaairlines.com

PHOTOGRAPHIES REPRODUITES AVEC L'AIMABLE AUTORISATION DE CROATIA AIRLINES.

Itinéraire en Istrie

Il suffit d'un regard pour comprendre pourquoi l'Istrie est considérée comme la Toscane croate. Lovée dans son écrin vert et bleu, cette splendide presqu'île présente des villages pittoresques disséminés dans une campagne vallonnée où prédomine le mode de vie rural. L'architecture se distingue par ses pierres couleur de sable que le temps a minutieusement sculptées, en totale harmonie avec la nature et les éléments terrestres. Les villes médiévales fortifiées de Buje, Buzet, Motovun et Groznjan se drapent majestueusement dans leurs siècles d'héritage solennel, qui ne méprise ni l'art culinaire, ni celui du vin. Ces villes de « l'Istrie verte » occupent surtout l'intérieur des terres, réputées pour leur charme pastoral. De son côté, « l'Istrie bleue » déroule, le long de l'Adriatique, de grandes plages de galets blancs qui ont pour seul horizon la mer azurée. Juste au large de la côte, au Sud-Ouest, on accède rapidement par ferry aux îles Brijuni, qui abritent un parc national où se tiennent des événements sportifs tels des matches de polo, au sein d'une faune et flore épatante de beauté et de diversité.

Sites

Motovun • Buje • Buzet • Groznjan • Rovinj • Rabac • îles Brijuni

Suggestion d'itinéraire

• Vol jusqu'à Pula.

• Explorez la côte, en particulier les plages de Stoja et Verudela, réputées pour être les plus belles de la région.

• Prenez le ferry jusqu'aux toutes proches îles Brijuni, dont le parc national abrite des prairies où abonde la vie sauvage. Outre les bœufs et les multiples oiseaux indigènes, le parc accueille des cerfs, des zèbres et même… des éléphants. L'île Veli Brijun est très appréciée pour ses eaux cristallines qui vibrent d'une riche vie marine. La plongée est envisageable en groupe, l'idéal pour organiser des concours de la plus belle photo sous-marine.

• Faites étape à Rovinj, ville côtière au centre historique unique, où cohabitent des monuments aux influences culturelles et aux âges les plus divers. Autour des places, des maisons étriquées s'amoncellent les unes sur les autres, créant une mosaïque d'architectures baroque, néoclassique et Renaissance. Non loin, l'île de Crveni Otok est, avec ses délicieuses petites criques, le paradis des baigneurs.

• Dirigez-vous ensuite vers le Nord, à Motovun, village des géants. La légende raconte en effet que la ville aurait été construite au sommet de la colline par des géants, avec

d'énormes blocs de pierre ramenés de la vallée de la Mirna en contrebas. Motovun possède le plus long escalier d'Istrie : pour atteindre son pinacle, il faut affronter quelque 1 052 marches. Mais les plus courageux sont récompensés par la découverte d'un joyeux village de facture vénitienne, où cafés et restaurants étanchent la soif et soulagent l'estomac. La place principale est dominée par le Kastel Motovun, un château reconverti en hôtel qui affiche rapidement complet en été lors du Festival du film de Motovun.

- Aucune visite ne serait complète sans une touche de perles noires et de diamants blancs, autrement dit, sans goûter les célèbres truffes noires et blanches de la région. À Livade, près de Buje, le restaurant Zigante est justement spécialisé dans une cuisine à base de truffes.

- « L'Istrie verte » se découvre sous son plus beau jour depuis un gîte rural. Stancija Negricani, près de Marcana, propose une ambiance familiale et un service de première qualité, assuré par un charmant personnel.

- De Pula, vous pouvez prendre une correspondance nationale ou internationale.

adriatica.net

Voyagiste de premier plan en Croatie, adriatica.net dispose d'une présentation de grande qualité, de services professionnels et des dernières technologies pour que chacun trouve et réserve son séjour en fonction de ses critères. Grâce à une approche experte et personnalisée alliée à un contrôle strict des produits et des services proposés, chaque voyageur est assuré d'être comblé. Pour en savoir plus ou réserver un séjour, appelez le 01 70 61 03 87, envoyez un courriel à info@adriatica.net ou rendez-vous sur le site www.adriatica.net.

DE GAUCHE À DROITE : « *l'Istrie bleue* » *n'est jamais plus belle que depuis la mer ; la vie marine s'épanouit dans les eaux azurées de l'Adriatique ; les délicieux produits de la mer sont une spécialité de la région.*

PAGE DE GAUCHE : « *l'Istrie verte* » *est une région idyllique de terres fertiles et de prairies parsemées de villages médiévaux et de forteresses ancestrales et impassibles.*

Itinéraire à Dubrovnik

« Ceux qui cherchent le paradis sur Terre devraient se rendre à Dubrovnik », écrivit un jour l'écrivain irlandais George Bernard Shaw. L'ancienne cité république de Raguse qui fut, au Moyen Âge, la rivale directe de Venise pour dominer l'Adriatique, connaît aujourd'hui une renaissance qui en fera bientôt l'une des toutes premières destinations touristiques européennes. Déjà bénie par les douces journées et les nuits embaumées typiques du climat marin méditerranéen, Dubrovnik est telle une malle aux trésors dont les charmes et les attraits infinis se cachent et se dérobent dans un écheveau de vieilles rues pavées. En été, l'art et la culture colorent toute la ville durant le mois du Festival d'été de Dubrovnik, véritable artifice de pièces, concerts et autres réjouissances. Les visiteurs vivront un séjour inoubliable.

Sites
Festival d'été de Dubrovnik • les enceintes de la vieille ville • la colonne de Roland • le palais Sponza • la fontaine d'Onofrio

Suggestion d'itinéraire
• Vol jusqu'à Dubrovnik.

- Rendez-vous dans le centre historique de la ville, classé au patrimoine de l'humanité par l'Unesco, et consacrez quelques jours à Dubrovnik et ses proches alentours qui regorgent de ruelles et de passages à sillonner à pied. La ville est essentiellement pédestre, et flâner en marchant est le meilleur moyen d'en profiter. Le Pucic Palace domine la place Gundulic au cœur de la vieille cité, tandis que le Hilton Imperial Dubrovnik est à quelques pas de la porte Pile.

- Promenez-vous le long des enceintes, d'où la vue sur la ville et la mer est spectaculaire. Les remparts de Dubrovnik sont un fil qui relie la ville à son passé. En suivant les pierres poncées par le temps, on est vite convaincu de faire un bond dans l'histoire. Lien avec le présent, les cinq tours qui jalonnent les fortifications accueillent des représentations artistiques et des concerts.

- Faites une pause dans l'un des charmants cafés ou restaurants de la ville, pour déguster par exemple une délicieuse rozata, la crème aux œufs locale servie bien froide avec un nappage de caramel.

- Rencontrez un héros moyenâgeux devant la colonne de Roland, édifiée au XVe siècle en symbole de la liberté et de l'indépendance de la ville. La statue de Roland, célèbre guerrier de Charlemagne, est un grand lieu de rendez-vous de la ville.

- Dubrovnik ne s'endort pas au coucher du soleil. Les bars à vin et les cafés de jazz se remplissent rapidement, dans une ambiance amicale et décontractée. Avec ses rythmes endiablés et son énergie contagieuse, la boîte de nuit latine Fuego est l'endroit le plus couru des fêtards. Et, pour conclure les nuits blanches, accordez-vous un bon expresso dans un des cafés du Stradun, l'artère principale de la ville.

- Pour échapper à l'urbanisme, l'île de Lokrum, à quelques encablures en ferry, héberge un jardin botanique du temps de l'archiduc Maximilien d'Autriche. Un fort napoléonien surplombe l'île.

- De Dubrovnik, vous pouvez prendre une correspondance nationale ou internationale.

adriatica.net

Voyagiste de premier plan en Croatie, adriatica.net dispose d'une présentation de grande qualité, de services professionnels et des dernières technologies pour que chacun trouve et réserve son séjour en fonction de ses critères. Grâce à une approche experte et personnalisée alliée à un contrôle strict des produits et des services proposés, chaque voyageur est assuré d'être comblé. Pour en savoir plus ou réserver un séjour, appelez le 01 70 61 03 87, envoyez un courriel à info@adriatica.net ou rendez-vous sur le site www.adriatica.net.

Le Stradun, rue principale du Dubrovnik historique, est bordé de cafés qui font la joie des noctambules.

PAGE DE GAUCHE (DE BAS EN HAUT) : *les toits rouges de la vieille ville ; un bon petit-déjeuner s'impose avant de partir en expédition dans la fascinante cité ; la statue de Roland rappelle la soif d'indépendance de la ville.*

index

crédits photographiques

L'éditeur remercie les personnes/établissements suivants pour avoir autorisé la reproduction des photographies :

Adam Clark/Photolibrary 97 (haut)
Alan Copson/Photolibrary 41
Aldo Pavan/Grand Tour/Corbis 95 (bas)
Antonio Bat/epa/Corbis 98
Atlantide Phototravel/Corbis 86
CD094 Croatia 14 (haut), 17, 20 (haut), 24 (bas), 25 (haut), 33 (bas), 111 (haut), 120 (haut, centre et bas), 122 (haut), 123, 124 (haut), 127 (haut et bas), 128 (haut et bas), 129, 130, 131 (haut), 133 (bas), 134 (haut et bas)
Charles Bowman/Getty Images 19
Chris Mole 25 (bas)
Connie Coleman/Getty Images 53, 57, 60, 68–9

Office du Tourisme de Croatie 2, 5, 13, 16 (haut et bas), 18, 21, 22 (haut et bas), 23 (bas), 24 (haut), 28 (haut et bas), 29, 30, 33 (haut), 34 (haut et bas), 36 (haut), 36–7 (bas), 37 (haut), 38, 39 (haut), 51 (haut et bas), 58 (haut et bas), 59, 61, 62 (haut et bas), 64 (bas), 65 (haut), 66 (haut et bas), 67, 92, 93, 95 (haut), 99, 108, 110, 111 (bas), 112 (haut), 113, 114, 115 (haut), 116, 131 (bas), 135
Danny Lehman/Corbis 112 (bas)
Ed Kashi/Corbis 40 (haut)
Eric Futran/Photolibrary 34 (centre)
Euromarine 26
Françoise Raymond Kuijper 23 (haut), 40 (bas), 91 (haut), 115 (bas), 117, 133 (haut)

Gavin Hellier/Getty Images 50, 118–19
Geoff Caddick/epa/Corbis 27 (haut)
Grand Tour/Corbis 88
Hans Georg Roth/Corbis 52, 90, 91 (bas), 121
IFA-BILDERTEAM GMBH/Photolibrary 97 (bas)
Janez Skok/Corbis 96
Jeremy Horner/Corbis 132
Jon Hicks/Corbis 56 (droite), 61 (haut)
Jonathan Blair/Corbis 14 (bas), 122 (bas)
JTB Photo/Photolibrary 42–3, 56 (gauche), 124–25 (bas)
Keren Su/Getty Images 48
Louis-Laurent Grandadam/Getty Images 65 (bas)
Marco Cauz/Corbis 20 (bas)
Mark Newman/Photolibrary 39 (bas)

Martin Stolworthy/Getty Images 6
Neil Emmerson/Getty Images 8–9
Nik Wheeler/Corbis 89
Owen Franken/Corbis 100–01
Panoramic Images/Getty Images 136–37
Peter Adams/Getty Images 12
Philippe Giraud/Goodlook/Corbis 35, 94
Richard l'Anson/Getty Images 4
Roland Schlager/epa/Corbis 27 (centre)
Ruggero Vanni/Corbis 54
Simeone Huber/Getty Images 126
Steve Vidler/Photolibrary 32
Thierry Orban/Corbis 27 (bas)
Thomas Eckerle/Photolibrary 64 (haut)
Tony Gervis/Getty Images 55
Wayne Walton/Getty Images 15, 63

carnetd'adresses

Adriana, hvar marina hotel et spa (page 146)
21450 Hvar
tél. : +385.21.750 750
fax : +385.21.750 751
email : reservations@suncanihvar.com
site internet : www.suncanihvar.com

Croatia Airlines (page 176)
9, rue du Faubourg Saint-Honoré
75008 Paris
tél. : +33.1 42 65 30 01
fax : +33 1 42 66 43 27
site internet: www.croatiaairlines.com

Dubrovnik House Gallery (page 170)
Svetog Dominika 2,
20000 Dubrovnik
tél. : +385.20.322 092
fax : +385.20.322 091
email : ars.longa@du.t-com.hr

Euromarine (page 46)
Svetice 15,
10000 Zagreb
tél. : +385.12.325 234
fax : +385.12.325 237
email : charter@euromarine.hr
site internet : www.euromarine.hr

Hilton Imperial Dubrovnik (page 158)
Marijana Blazica 2,
20000 Dubrovnik
tél. : +385.20.320 320
fax : +385.20.320 220
email : sales.dubrovnik@hilton.com
site internet : www.dubrovnik.hilton.com

Hôtel Arbiana (page 104)
Obala Petra Kresimira 12,
51280 Rab
tél. : +385.51.775 900
fax : +385.51.775 991
email : sales@arbianahotel.com
site internet : www.arbianahotel.com

Hôtel Bellevue (page 160)
Pera Cingrije 7,
20000 Dubrovnik
tél. : +385.20.330 000
fax : +385.20.330 100
email : welcome@hotel-bellevue.hr
site internet : www.hotel-bellevue.hr

Hôtel Dubrovnik Palace (page 162)
Masarykov put 20,
20000 Dubrovnik
tél. : +385.20.430 000
fax : +385.20.430 100
email : info@dubrovnikpalace.hr
site internet : www.dubrovnikpalace.hr

Hôtel Excelsior (page 164)
Frana Supila 12,
20000 Dubrovnik
tél. : +385.20.353 353
fax : +385.20.353 555
email : info@hotel-excelsior.hr
site internet : www.hotel-excelsior.hr

Hôtel Glavovic (page 156)
Obala Ivana Kuljevana,
20222 Lopud
tél. : +385.20.759 359
fax : +385.20.759 358
email : info@hotel-glavovic.hr
site internet : www.hotel-glavovic.hr

Hôtel Kastel Motovun (page 74)
Trg Andrea Antico 7,
52424 Motovun
tél. : +385.52.681 607
fax : +385.52.681 652
email : info@hotel-kastel-motovun.hr
site internet : www.hotel-kastel-motovun.hr

Hôtel Nautica Novigrad (page 72)
Sv Antona 15,
52466 Novigrad
tél. : +385.52.600 400
fax : +385.52.600 450
email : info@nauticahotels.com
site internet : www.nauticahotels.com

Hôtel Šipan (page 154)
Šipanska Luka 160,
20223 Šipanska Luka,
Otok Šipan,
Dubrovnik
tél. : +385.20.758 000
fax : +385.20.758 004
email : hotel-sipan@petral.hr
site internet : www.hotel-sipan.com

Hôtel Sv Mihovil (page 144)
Ul Bana Jelači´ca 8,
21240 Trilj
tél. : +385.21.831 790
fax : +385.21.831 770
email : sv.mihovil@inet.hr
site internet : www.svmihovil.com

Hôtel Vestibul Palace (page 138)
Iza Vestibula 4,
21000 Split
tél. : +385.21.329 329
fax : +385.21.329 333
email : info@vestibulpalace.com
site internet : www.vestibulpalace.com

Hôtel Villa Angelo d'Oro (page 76)
Via Svalba 38-42,
52210 Rovinj
tél. : +385.52.840 502
fax : +385.52.840 112
email : hotel.angelo@vip.hr
internet : www.angelodoro.hr

Vins Istravino (page 106)
Tome Stri˜zi´ca 8,
51000 Rijeka
tél. : +385.51.406 670
fax : +385.51.406 660
internet : info@istravino-rijeka.hr

Bijouterie Đardin (page 172)
Miha Pracata,
20000 Dubrovnik
tél. : +385.20.324 744
fax : +385.51.603 509
internet : mm.design@inet.hr

Le Méridien Lav Split (page 140)
Grljevacka,
Podstrana 2A,
21312 Split
tél. : +385.21.500 500
fax : +385.21.500 300
email : info-split@lemeridien.com
internet : www.lemeridien.com/split

Le Nautika (page 174)
Brsalje 3,
20000 Dubrovnik
tél. : +385.20.442 526
fax : +385.20.442 525
email : sales@esculap-teo.hr
internet : www.esculap-teo.hr

Palmizana Meneghello (page 152)
Meneghello Estate,
Palmizana,
21450 Hvar
tél. : +385.21.717 270
fax : +385.21.717 268
email : palmizana@palmizana.hr
internet : www.palmizana.hr

Le Pucic Palace (page 166)
Ulica Od Puca 1,
20000 Dubrovnik
tél. : +385.20.326 222
fax : +385.20.326 223
email : reservations@thepucicpalace.com
internet : www.thepucicpalace.com

Le Regent Esplanade (page 44)
Mihanoviceva 1,
10000 Zagreb
tél. : +385.1.456 6666
facsimile : +385.1.456 6020
email : info.zagreb@rezidorregent.com
internet : www.regenthotels.com

Riva, hvar yacht harbor hotel (page 150)
21450 Hvar
tél. : +385.21.750 750
fax : +385.21.750 751
email : reservations@suncanihvar.com
internet : www.suncanihvar.com

Le San Rocco (page 70)
Srednja Ulica 2,
52474 Brtonigla
tél. : +385.52.725 000
fax : +385.52.725 026
email : info@san-rocco.hr
internet : www.san-rocco.hr

Stancija Negricani (page 80)
Stancija Negricani farmhouse, 52206 Marcana
tél. : +385.52.391 084
fax : +385.52.580 840
email : konoba-jumbo@pu.t-com.hr
internet : www.stancijanegricani.com

Valsabbion (page 82)
Pjescana Uvala IX/26,
52100 Pula
tél. : +385.52.218 033
fax : +385.52.383 333
email : info@valsabbion.hr
internet : www.valsabbion.hr

Villa Astra (page 102)
V.C. Emina 11,
51415 Lovran
tél. : +385.51.294 400
fax : +385.51.294 600
email : villa.astra@lovranske-vile.com
internet : www.lovranske-vile.com

Villa Bale (page 78)
12 Venetian House,
47 Warrington Crescent,
London W9 1EJ
tél. : +44.845.500 2000
fax : +44.845.500 2001
email : info@thevillabook.com
internet : www.thevillabook.com

Villa Dubrovnik (page 168)
12 Venetian House,
47 Warrington Crescent,
London W9 1EJ
tél. : +44.845.500 2000
fax : +44.845.500 2001
email : info@thevillabook.com
internet : www.thevillabook.com

Zigante Restaurant (page 84)
Livade-Levade 7,
52427 Livade-Levade
tél. : +385.52.664 302
facsimile : +385.52.664 303
email : restaurantzigante@livadetartufi.com
internet : www.zigantetartufi.com